LA RELIEUSE DU GUÉ

DU MÊME AUTEUR

La Relieuse du gué (prix du Premier Roman du Rotary-Club de Cosne-Sancerre, prix Lire Élire décerné par Culture et Bibliothèques pour tous Nord Flandre), Gaïa, 2008.

Fugue (prix du livre Pourpre), Gaïa, 2010 ; Babel n° 1236.

Sanderling (prix Thyde-Monnier de la Société des gens de lettres), Gaïa, 2013.

Le Portefeuille rouge, Gaïa, 2015.

© Gaïa Éditions, 2008
ISBN 978-2-330-01964-8

ANNE DELAFLOTTE MEHDEVI

LA RELIEUSE
DU GUÉ

roman

BABEL

À mes parents, Noëlle et Jean-Marie.

Merci à Delphine, Christine, Hélène, Caroline, Carole Vantroys.

PROLOGUE

Au matin, les bourrasques qui s'engouffraient dans la ruelle me réveillèrent. Toute la nuit, le vent avait soufflé à la limite de la tempête. J'ouvris les volets et me penchai par-dessus le garde-corps. L'air animé que je respirais m'absorba d'emblée tout entière. Le ciel était parcouru de courants parés de toutes les nuances qu'un vent peut porter, chamarré comme une musique de couleurs. Sur le fond de ciel qui s'éclaircissait, s'avançaient en bataillons des nuages noirs et épais, inquiétants eux, de constance et de lenteur.

À sept heures, j'étais descendue de mon appartement à l'atelier juste au dessous, au rez-de-chaussée. J'aurais pu me lever plus tard mais j'aimais avoir l'atelier rien qu'à moi jusqu'à huit heures et demie, l'heure d'ouverture. Ce n'est pas que j'aie tant de visites, mais j'ai une enseigne qui flotte au vent et une porte offerte au passant. Je vis et travaille tout le jour avec, face à moi ou dans mon dos, cette porte qui ne m'appartient pas.

Toujours intriguée par le vent, je ne tardai pas à sortir dans la ruelle pour retirer les volets de bois rouge qui font rideau sur la mise en scène de ma vitrine : livres désossés, fibres de bois, bouts de peau, pigments d'indigo et une feuille d'or.

C'était un temps rare, un temps qui arrête les hommes sur le seuil de leur maison, qui leur fait humer l'air, interroger le ciel, comme l'animal au seuil de son terrier. Moi qui connais si peu le milieu marin, il me semblait que c'était un temps de bord de mer et que ma petite ville tranquille de l'intérieur des terres de Dordogne s'agrippait ce matin-là à une falaise.

Le vent pressant me poussait vers ce bras de rivière en contrebas de la ruelle, au pied du gué gonflé des pluies de la nuit. Je ne lui ai pas cédé et j'ai choisi comme chaque matin de m'offrir ce moment dans mon atelier, la porte encore close. Une heure et demie de solitude choisie, de soudure avec le jour.

D'ailleurs la pluie redoublait. J'allais prendre mon café.

Je prends mon petit-déjeuner entourée des livres que je restaure, ce n'est pas sage, je suis relieuse.

À l'opposé de la rue, près du jardinet, je me suis installée devant mon ordinateur comme tous les matins, mais les sens plus affûtés que d'ordinaire, pour ne rien perdre de la danse imprévisible du vent.

J'aime le clapotis que laisse échapper le clavier quand j'écris et qui m'incline par ces petits bruits de langue à écrire à ceux qui me manquent. Dehors, la pluie tombait toujours.

Dans la lumière bleutée de l'écran, j'ai lu mon courrier en buvant mon café, en croquant ma tartine et me suis félicitée de ne rien avoir renversé. Pas une goutte et à peine une miette : petit délire, tissé dans une routine si neuve, que j'étais la première à savoir qu'elle ne demandait qu'à être mise à l'épreuve. Plutôt que de la routine d'ailleurs, cet exercice d'équilibriste relèverait plutôt de la prise de pouls.

Travaillez-vous de vos mains ?

Jouez-vous d'un instrument de musique ?

Certains matins, la main tremble, le corps et la tête se refusent l'un à l'autre et cela n'augure rien de bon pour l'artisan.

Ce lundi-là, ma main était sûre, j'avais hâte de me mettre à l'ouvrage. J'ai pivoté sur ma chaise à roulettes et me suis transportée de deux mètres jusqu'à une table de travail, face à la grande baie qui donne sur le minuscule jardinet clos. C'est là que les livres que l'on m'a confiés m'attendent. J'allumai la lampe de bureau qui éclaira le nouveau lot de livres sur lequel j'allais commencer à travailler : pour dix livres, selon leur état, une à deux semaines de ma vie.

Je fis glisser le livre du haut de la pile dans ma main et découvris le nouveau venu.

Quand une parenthèse de travail s'ouvre, c'est "rentrée scolaire". J'affiche devant la sainte théorie et ses promesses de perfection une confiance béate : ce livre s'en remettra à moi sans la moindre résistance, sans le moindre aléa, ressortira de ma chapelle, simplement, parfait. Ce sentiment doit durer… quarante secondes.

Puis, je fais réellement connaissance avec l'objet. Le regarder n'est rien, il faut le soupeser, le jauger, le faire jouer dans la main. Parenthèse dans la parenthèse, je lis toujours au hasard quelques lignes, à ce moment-là comme à d'autres. En cela, je m'écarte des lois, en tout cas de celles de mon maître, mon grand-père, qui professait qu'un relieur ne lit pas, qu'un relieur analphabète ferait l'affaire, petite-fille ou pas. Il se cabrait à l'idée qu'on puisse ouvrir un livre même avec précaution, quand la colle n'est peut-être pas encore tout à fait sèche, le bloc bien assis, pour aller goûter d'un style.

J'allais me mettre à l'ouvrage, faire sauter les vieilles couvertures. C'est à cet instant-là qu'on frappa à la porte. J'allais écrire "tambourina", mais non, ce n'était pas ça. Cependant, ce quelqu'un frappait suffisamment résolument pour que j'aie un peu peur. On ne frappe pas de cette façon-là à la porte d'un relieur.

I

Je quittai à regret mon îlot de lumière pour traverser l'atelier toujours noyé dans l'ombre.

Il y avait peut-être eu un accident, quelqu'un avait besoin d'aide, d'un téléphone, cela n'aurait rien eu d'étonnant avec ce vent.

Je vis, comme j'approchais de la porte vitrée sur la rue, la silhouette floue d'un homme grand, aux épaules larges, se dessiner dans la lumière mate de l'aube. Il masquait tel un nuage noir le peu de jour qui filtrait de la ruelle à travers la porte. Avant d'ouvrir, j'ai allumé la lumière de l'enseigne sur la rue. Quand elle est tombée droit sur sa nuque courbée, il a levé les yeux vers moi. Son visage ruisselait d'eau. Des gouttes restaient suspendues à ses longs cils noirs, glissaient le long de son ciré marin. Il maintenait ses grandes mains blanches croisées sur sa poitrine et son imperméable fermé. Ses grands yeux posés sur moi ne demandaient rien. Je pris son impassibilité pour de la patience.

C'est rare un aussi bel homme, spectaculaire, un homme jeune, la trentaine, qui vous regarde droit dans les yeux, attend que vous lui ouvriez votre porte à une heure incongrue et qui ne prétend même pas vous sourire.

Il suivait des yeux mes mains qui déverrouillaient la serrure. Je me suis effacée pour le laisser rentrer, il a fait un petit pas à l'intérieur et s'est planté comme un menhir sur mon seuil.

— Je vous en prie, entrez.

Je le frôlai, il m'y obligeait, à rester ainsi empêtré sur le pas-de-porte. Je devais refermer sur nous, le vent et la pluie s'engouffraient dans l'atelier, menaçaient de faire s'envoler mes papiers. Le vent résista un peu à ma poussée… Il n'était pas l'heure, instinctivement je verrouillai ma porte… pour la déverrouiller aussitôt, troublée à l'idée que mon "peut-être client" ait pu surprendre ce geste qui l'enfermait avec moi. Moi qui tout à l'heure avais la main si sûre. C'était le vent qui me distrayait, me titillait les nerfs.

Lui, avait à peine avancé. Je fus surprise de la ténacité des parfums de pluie et de vent qui l'enveloppaient. S'y ajoutaient des senteurs de terre si fraîches que je me souviens m'être dit que cet homme avait dû coucher dans la forêt pour en être à ce point imprégné.

Le dieu du vent s'infiltrait dans mon éprouvette… Fantaisie tout aussi excitante que de déclamer pour moi toute seule les vers de mon cher Cyrano, beaucoup plus excitante que de couper en une respiration un beau papier marbré, à vue, sans mesurer, et parier qu'au millimètre près la coupe soit juste. Je m'étais refusé la promenade vers le gué auquel le vent m'invitait? Le vent était venu forcer ma porte.

Les pointes de ses cheveux mi-longs, bruns, lisses, retenaient comme ses longs cils les gouttes d'eau. J'en suivis une que j'entendis rebondir sur le parquet blanchi de l'entrée. Elle rebondit sur la petite flaque qui s'était formée autour de ses pieds.

— Vous avez traversé le gué?

— Oui. Je suis désolé d'avoir inondé votre plancher.

Sa voix m'apparut blanche, sa diction relativement lente, monocorde, comme quelqu'un qui n'aurait pas parlé depuis très longtemps.

Moi :

— Oh non, ne vous excusez pas, moi le gué, je le passe aussi souvent que je peux.

Il ne disait rien, attendait… Mais quoi? Où était le livre?

Pour me donner une contenance, j'allai tout de même me mettre à ma place, derrière un large plateau de bois posé sur deux piliers de briques : mon comptoir de marchande qui marque la limite entre l'espace accessible au public et le reste de l'atelier où se concentrent mes outils. J'allumai la lampe de bureau qui n'éclairait que ce plateau, créant entre nous deux un autre îlot de lumière. Alors seulement, ses mains se détachèrent de sa poitrine et il sortit un grand livre de dessous son imperméable :

— Je n'ai pas pris le temps de l'emballer… Je voudrais l'offrir à quelqu'un, je ne me suis décidé qu'hier soir, tard… J'ai vu de la lumière, je me suis permis…

— Vous avez bien fait.

Je tendis la main en direction du volume massif, invitant l'homme à s'avancer enfin.

Je le vis mieux, son teint était très blanc, ses yeux d'une couleur indéfinissable, gris, verts, noisette ? Je m'étonnai encore de sa beauté de statuaire. Je photographiai ses belles lèvres cousues. Seules les narines vibraient dans tout ce marbre.

Lui :

— Tendez l'autre main, il est lourd.

Il me remit le livre, évitant soigneusement de poser les yeux sur moi ou sur l'objet qu'il me tendait, fixant son regard droit devant lui, vers le jardinet muré. Je recentrai la lumière au plus près du plateau, la braquai sur le livre. Comme l'homme, il n'était pas banal. Belle facture, grand format de trente centimètres sur quarante environ, dense de beau papier et, à ma grande surprise, relié à l'allemande.

— Il a été relié en Allemagne ? En Europe centrale ?

— Je ne crois pas.

Mon grand-père, "maître relieur", était allemand, c'est sa manière que j'avais d'abord apprise. Lorsque les clients m'en laissaient le choix, je reliais comme lui. Les couvertures ne sont pas montées de la même manière selon que l'on pratique la reliure à l'allemande ou à la française.

Les couvertures de ce grand livre-là étaient recouvertes de maroquin couleur d'un caramel blond. Les plats étaient au recto comme au verso incrustés en leur centre d'un arbre, de la forme qu'aurait l'ombre d'un arbre feuillu. Cette forme était de maroquin couleur chocolat. La couronne de l'arbre en plusieurs endroits était décollée. Le cuir fin de la base des troncs s'enroulait vers l'extérieur en un petit copeau.

À la marge du halo de lumière que j'avais à l'instant recentré sur le plateau, l'homme se pencha, vint s'y appuyer, bras tendus. Le jour blanc de la ruelle, dans son dos, n'éclairait pas son visage mais j'entendis sa respiration de plus en plus forte se faire irrégulière. Cet homme était épuisé, ce n'était pas une pose, il se tassait, se soutenait à ce plateau de tout son poids. S'il s'écroulait là… Dans la ruelle, en face, André le boulanger faisait son pain.

Je posai le livre.

— Pardonnez-moi, je ne vous ai même pas offert de vous asseoir.

Je poussai un fauteuil à roulettes jusqu'à lui sans attendre sa réponse.

— Merci.

Il s'assit avec soulagement, se reprit, ferma les yeux un court instant, croisa aussitôt les jambes pour mieux garder le dos droit.

— Il fait si doux ce matin, je vais entrouvrir la fenêtre.

— Oui.

J'allai ouvrir un panneau de la baie qui donnait sur le jardinet entouré de hauts murs, le vent n'y parvenait qu'assagi.

Ces minuscules jardins de ville ne riment à rien. Celui-là était juste bon, avec son unique pommier au milieu, à la visite de quelques oiseaux et de préférence en alternance, du chat de l'épicière. Le tronc de l'arbre montait droit et nu vers la lumière si bien que les quelques fruits qu'il portait n'étaient pas accessibles. Une grosse branche avait tenté sa chance mais, menaçant de faire imploser le mur, elle avait été tranchée net. Son moignon portait maintenant quelques timides branches qui cherchaient à leur tour la hauteur. Ce jardinet était un tableau vivant ou une nature à demi morte. On observe un tableau, on n'y met pas les pieds, d'ailleurs, l'automne venant, la porte qui y donnait serait bientôt gonflée d'humidité et impossible à ouvrir.

Je bloquai la fenêtre avec un vieux chiffon dans l'entrebâillement et à l'intérieur, d'un fer à repasser d'antan qui me servait de presse-papiers. J'écartai les livres qui se trouvaient dans la trajectoire.

Je pris en passant sur le dossier d'une chaise, mon tablier de grosse toile noire maculé de taches de colles, de poussières d'or et de pigments de toutes les couleurs, souvenirs des semaines passées avec une collègue à jouer au dominotier. Je le nouai sur mes hanches, en chemin vers lui.

Je vis à sa posture qu'il allait mieux, au moins pour l'instant. Il me regardait comme s'il me découvrait seulement. Maintenant que j'avais mon tablier, ce regard aussi intense qu'il avait été transparent m'intimidait moins. Et puis ce livre était beau, son contenu, quelque chose dans sa façon, la qualité des cuirs… Il m'observa observer son livre.

Moi :

— C'est une très belle qualité de papier, du papier à la cuve…

J'admirais, le papier, les pages de garde sur fond bleu tendre, très légèrement marbré, irisé de gris et d'ivoire. S'y surimposaient des motifs clairsemés à trois couleurs en forme de lys. Au cœur du motif, la même base de bleu que le fond, puis une onde d'ocre, puis une onde de brique.

Lorsqu'on ouvrait le livre, on constatait que les fibres de ce beau papier de garde avaient cédé à la charnière, que l'on nomme mors en reliure. Le bloc ne tenait donc plus au contre-plat que par deux centimètres en haut de volume.

Les deux premiers cahiers se détachaient comme feuille morte, le fil avait cédé. Bien que menaçant de subir le même sort, la page de garde était, au contre-plat du verso, intacte, maintenant encore le bloc de feuillets à la couverture.

Je sentais le vent qui s'infiltrait par le jardinet souffler sur ma nuque. À l'autre pôle, le regard de l'homme, qui ne voyait pas ou voyait trop, écrasait mon front.

Il faudrait tout recoudre. Mais le papier était d'excellente qualité et bien conservé, sans déchirure ni moisissure.

L'homme assis soupira soudain et porta une main à sa gorge.

— Je peux vous offrir un café, monsieur ? Il est encore chaud, ou un thé, ou autre chose à boire ?
— Non merci.

Je ne sus pas insister et replongeai dans le livre qu'il m'avait apporté, retenant des questions qu'il m'aurait paru naturel de poser à tout autre client. D'où vient ce livre? Pourquoi est-il relié à l'allemande? Est-ce un livre de famille ou l'avez-vous récemment acquis?

La garde de couleur laissait place à une page de garde blanche crémeuse. Sur la première page numérotée à la plume d'une encre noire bleutée, épaisse, j'identifiai une forêt dessinée au crayon. Le point de vue du dessinateur était du cœur des arbres, assis à leurs pieds, je l'imaginais dessiner assis, le dos calé contre un tronc. À la page suivante, la forêt s'était éclaircie, l'auteur était debout. Une page encore : une clairière, une aquarelle. Je feuilletai vite et découvris au milieu du volume une construction ancienne, carrée, au toit pentu. Une galerie couverte tout autour…

Le livre n'était pas imprimé, n'était constitué que de dessins, au crayon ou à l'aquarelle.

Me promettant de l'emmener ce soir là-haut pour le parcourir à loisir, je refermai le livre et m'apprêtai à confronter cet étrange client.

— Monsieur?
— Oui.
— Dites-moi ce que vous souhaitez pour votre livre.

Son dos se détacha du dossier de la chaise. Se raidissant, il força sa voix et sans poser ses yeux sur l'ouvrage comme s'il risquait de les brûler :

— Je voudrais que vous restauriez le cuir, que vous réutilisiez les couvertures, sauviez les gardes.

Je paierai ce que vous demanderez, mais j'insiste sur l'importance de garder autant que possible les matériaux originaux. Il aura une vie plus calme, plus rangée désormais, on en prendra soin. Je voudrais que ce livre soit prêt samedi prochain. J'ai rendez-vous avec quelqu'un qui vient de loin pour me voir... qui est déjà à Bordeaux...

Il répéta :

— Samedi.

Je restai sans voix. Cet homme qui avait l'air plus abîmé que son livre, savait et énonçait plus clairement qu'aucun autre client ce qu'il voulait. Il n'avait plus rien d'égaré. J'eus à nouveau un peu peur.

Lui :

— Oui je sais, il est très abîmé... Alors, samedi prochain, cela vous laisse le temps n'est-ce pas ?

— ... Il y a la restauration des gardes, la couture du bloc... Restaurer la couverture, pour cela il faudra que je dédouble le carton... Je ne sais pas, j'ai des délais à respecter vis-à-vis d'autres clients, et...

— S'il vous plaît. Je comprends que ma démarche bouscule votre plan de travail. Mais, si je savais que je verrais cette personne, je n'avais pas pensé d'abord à lui offrir le livre, j'y suis décidé. Je paierai ce que vous demanderez.

— Ce n'est pas la question.

— Alors quelle est la question madame ?

— Le temps...

— De combien de temps avez-vous besoin pour le restaurer ?

— … Quatre jours pleins, plus deux jours de repos, pour les temps de séchage et de presse.

— Je ne connais pas d'autre relieur.

— Laissez-le-moi.

— Merci.

Il se levait déjà, lentement.

— Je vous appelle dans la semaine ?

— Oui.

Je lui tendis ma carte. Il lut mon nom et la glissa avec précaution dans une petite poche intérieure qu'il boutonna. À même la poche droite de son ciré, il prit un billet de cent euros, mêlé à un billet de voyage.

Lui, en me le tendant comme un commandant son ordre de marche :

— J'appellerai demain… ou mercredi plutôt, pour voir si tout va bien ?

— Oui, mercredi…

Je n'avais rien dit quant au prix. Les choses ne se font pas comme cela… Je devais faire un devis… Confuse, j'avançai pourtant la main vers le billet froissé qu'il déposa fermement au creux de ma paume. Je refermai mes doigts dessus. Il regarda sa montre :

— Pour l'argent, je compléterai samedi… Pourrais-je voir un livre que vous venez de restaurer, pour mieux imaginer…

J'allai lui chercher un lot de trois beaux livres de grand format, des livres qui étaient prêts pour mes parents, ils étaient recouverts de cuir couleur vert bronze, j'avais doré les plats, au recto, d'un voilier. Magnifique fer à dorer.

Mon client regardait sans toucher. J'en profitai pour établir le reçu pour les cent euros.

D'un ton monacal :

— J'ai hâte de le voir aussi beau. Merci.

— Attendez, votre reçu…

— Je n'en ai pas besoin.

— Prenez-le.

Il le prit sans y porter la moindre attention et le tassa au fond d'une poche. Il allait se diriger vers la porte. Et là, comme un ressort et de toute sa hauteur, il s'effondra dans un grand bruit, sapé à sa base, dans un parfum de terre, d'humus, de fougère et de pluie.

J'ai dit : "Oh mon Dieu !", en désespoir de cause.

Je me suis agenouillée à côté de lui, lui ai tapoté les joues, caressé même je crois, dans l'urgence. J'ai baissé la fermeture du blouson de cuir sous l'imperméable. Le jour était levé mais si sombre. Je ne voyais distinctement que le blanc d'un maillot, à même sa peau.

Je me suis relevée pour allumer le plafonnier et me suis agenouillée à nouveau. J'ai vu la veine de son cou battre. Rassurée, j'ai pensé que je devrais peut-être lui donner du sucre… J'ai mis ma main sur son cou, écarté les cheveux de son front :

— Monsieur ? Je vais appeler le docteur, ne vous inquiétez pas, tout ira bien, tout ira bien, il n'habite pas loin, il sera là dans trois minutes, ne bougez pas.

Je me levai résolument pour appeler les secours, mais sa main m'agrippa la cheville avec une force déroutante pour un homme qui venait de s'évanouir, une force qui imposait sa volonté, sans appel.

Il me retenait maintenant par le tablier, accrochait mon regard et ses yeux insistaient.

Moi :

— D'accord, je ne vais pas appeler, pas encore.

Très lentement il se redressa, posa une main, puis deux qu'il arrima à mes épaules. Assis, ses mains lourdes s'abandonnèrent sur moi un moment. Quand il pensa être suffisamment remis, il montra le désir de se lever, je lui tendis la main. Il la prit. Mon autre paume se referma sur son coude, nous nous relevâmes en pesant l'un sur l'autre jusqu'à l'équilibre, toujours nous regardant. Je gageais sa faiblesse, lui la confiance qu'il pouvait mettre en moi. Il sous-estimait ma force, il aurait pu s'appuyer bien plus. Redressé, une main sur mon épaule, l'autre dans la mienne, il attendit quelques secondes où nous restâmes face à face. Puis il inspira profondément, fit lentement les deux pas qui le séparaient de ma porte, à reculons, ma main gardant toujours la sienne. J'aurais voulu l'allonger dans mon lit, le soigner, le guérir, le connaître.

— Vous êtes si pâle, je vous en prie, restez un peu. Vous avez mangé ?

— Non, j'ai oublié…

— Laissez-moi vous offrir quelque chose…

— J'ai un train à prendre, je dois partir. Je vous appellerai.

Il laissa la porte ouverte, le vent s'engouffra à sa place. Tous les livres à découvert se mirent à battre de l'aile, à bruire, un papier marbré glissa, flotta un instant au ras du sol, aspiré à la suite de l'homme vers la rue. Je fermai la porte, revins à pas lents à mon plateau de marchande et m'assis "côté client", sur la place laissée vide et comme hantée déjà.

Je me rappelai ces mots de la pièce de Cyrano :

ROXANE
Ce... départ... me désespère !
Quand on tient à quelqu'un, le savoir à la guerre !

II

Les cloches de l'église Saint-Lazare sonnèrent huit coups. Inutile de reverrouiller ma porte pour une demi-heure. Ma soudure avec le jour était consommée.

Je restai assise là encore un moment, puis je retournai m'asseoir à ma place, dans le coin opposé de l'atelier où personne d'autre que moi ne va jamais, côté jardinet, plus seule qu'avant le vent. J'avais rêvé cette solitude, ce temps maîtrisé, le silence. Ils étaient bien là.

Et le toujours inopportun point d'interrogation se déroula devant moi : si je m'étais trompée en venant ici ?

J'aurais aimé que cet homme-là reste en ma compagnie.

J'avais minutieusement planifié mon changement de vie. Pour une petite part aussi, je m'étais laissé guider par ce qu'on appelle l'instinct : des raisons qu'on ne sait pas démêler. Bien qu'aucun ingrédient n'ait été omis, depuis un an, je n'en finissais pas de m'installer, tendue comme dans un virage qui semblait ne jamais finir. Entre premiers succès et petites déconfitures, j'attendais un signe qui viendrait tout justifier. Si c'était lui, l'inconnu ?

L'expérience allait le démontrer, mais prendre pour ce faire un chemin détourné et douloureux.

Pour l'heure, je me persuadais que le plus dur était fait. Bien plus que l'appartement aux peintures fraîches qui le coiffait et qui me restait encore un peu étranger, j'avais domestiqué mon atelier.

C'est un rectangle parfait dont un petit côté donne sur la ruelle et l'autre sur le jardinet. La ruelle est pavée et piétonne. Dans les années trente, on avait détruit quelques vieilles maisons à colombages qui abritaient des ateliers d'artisans, pour reconstruire ces petites maisons de ville aux façades austères et muettes. On ne les trouve pas qu'ici en Dordogne ou dans le Sud-Ouest, mais partout aux cœurs des villes de province en France. On croit que personne n'y vit. Ceux que je connais des vivants de ma ruelle, ce sont les quelques commerçants ou artisans qui la font vivre encore.

À gauche de mon atelier, la ruelle descend vers le gué et à droite, elle monte jusqu'au parvis de l'église Saint-Lazare. Au-delà de l'église, s'étendent le long d'une rue large les magasins immenses, illuminés et franchisés, les mêmes qu'à Paris d'où je viens, ou qu'à Londres. C'est là que bat le cœur de cette ville de douze mille habitants, en tout cas c'est là qu'ils se croisent.

Notre ruelle est à rebours. Si elle est passante, c'est qu'elle est vieillotte, qu'elle est un concentré de village dans la ville. On s'y promène pour son pittoresque, pour les maisons à colombages qui restent, dont la mienne. Mais l'attraction reste le gué, on peut choisir pour le traverser d'emprunter le charmant pont de briques moussues, ou de se mouiller les pieds. Beaucoup ne traversent pas, ils s'arrêtent et s'absentent seulement un instant à regarder l'eau couler dans son lit pavé, puis ils remontent la ruelle à pas plus lents mais plus légers.

Je passerais la semaine à travailler sur le grand livre de dessins qu'on venait de m'apporter. Je n'aurais pas le temps de m'occuper des cinq volumes d'archives que je devais relier pour le journal local. Ces archives de l'an passé attendraient bien une semaine ou deux. Par correction, je téléphonai pour demander. Au journal, on m'accorda sans problème ce délai.

J'activai l'écran de l'ordinateur en veille juste pour qu'il projette vers moi son faisceau de lumière bleue. Un filet d'air flûtant par la fenêtre entrebâillée pour compagnie, je feuilletai le livre de mon nouveau client.

C'était un grand livre aux dessins originaux. Je m'arrêtai à une page représentant la clairière au cœur de laquelle se dessinaient deux carrés de fondations imbriqués, en partie recouverts de friches. Au fil des pages, d'aquarelles en croquis, ce bâtiment cubique se relevait de ses ruines. Sa pièce unique ceinturée d'une galerie à colonnades m'évoqua la période romaine. Dans mon ignorance sans doute, j'associais les ruines à l'empire.

Cette bâtisse allait toujours s'embellissant. Comme un corps à maturité, elle triomphait, splendide et colorée, au cœur du recueil.

Sur une page, une sculpture que je crus de pierre sombre et moussue, représentait, trônant sur un piédestal, un drôle de petit homme assis, nu et chapeauté, un petit frère du David de Donatello. Il en avait la grâce, la désinvolture et l'ambiguïté. Là encore, la Rome antique ou la Renaissance s'imposèrent à mon esprit.

J'allai chercher sur Internet des informations sur ce genre de construction. Je ne m'interrogeai pas sur la sculpture, je lui avais donné un nom, bien-fondé ou pas, il me contentait.

Je rentrai les mots-clés "architecture romaine" qui me guidèrent vers "gallo-romaine", puis "sanctuaire" et enfin "fanum".

C'était un fanum, un lieu de culte gallo-romain. J'allais écrire, "banal", car j'appris sur ce site qu'il existait de nombreux vestiges en France de lieux de culte de ce type, avec cette galerie caractéristique : un "péristyle".

Cette sculpture, cet adolescent désinvolte était donc un Dieu autour duquel on tourne comme un satellite autour d'un soleil et devant lequel on se prosterne.

Du milieu du livre et jusqu'à sa dernière page, juste après la représentation de la statue et d'autres vestiges que je ne savais pas identifier, commençait le long retour à l'état premier : le bâtiment après s'être élevé se défaisait page après page, une destruction qui s'accomplissait soit par disparition lente, naturelle, soit de la main de l'homme qu'on devinait mais ne voyait jamais.

Au début du livre comme à la fin, on ne voyait plus que des pierres arasées au niveau du sol. Aucun dessin de la deuxième partie ne trouvait son équivalent strict dans la première car même si l'image arrêtée représentait la construction deux fois au même stade d'élévation, l'un était clairement de construction, l'autre de décrépitude.

L'auteur racontait, patient, sur cent cinquante planches dessinées ou peintes, travaillées dans le détail ou esquissées, le destin physique d'un ouvrage, aquarelle en été, crayon en hiver, du cœur du bâtiment à un horizon qui s'arrêtait aux limites de la clairière, ou de la position contraire.

Je retournai au milieu du livre. Là, je pris le temps de reconnaître un collier, puis, disposées en étoile, des pointes de lances dentelées d'années, noires comme la nuit. Ici, des losanges d'une matière que je n'identifiais pas, colorés d'ocres et de bleus.

Je retournai au petit "David". Sa jambe droite repliée, ouverte, prenait appui sur la pierre. Il portait un chapeau à larges bords, paré d'ailes… Il avait quelque chose à la main, de forme ronde et rebondie.

Ces dessins et aquarelles, tous, étaient des plus beaux et des plus belles. Aucun n'était signé.

Je me mis à l'ouvrage, je délaissai la pile de livres à laquelle je voulais travailler un peu plus tôt. Le livre du fanum était autrement plus excitant : pour sauver non seulement son cuir d'origine mais aussi ses pages de garde, il fallait dédoubler les cartons des deux plats qui formaient la couverture. J'humidifiai les chasses : la partie intérieure des couvertures qui débordent le bloc du livre, en tête, gouttière et queue. Je dégageai au scalpel le beau papier sur fond bleu irisé du rebord de cuir. J'eus alors accès au rebord de cuir. Je le dégageai lui aussi du contre-plat pour avoir accès à l'épaisseur du carton lui-même. Je dédoublai le carton patiemment.

Je mis de côté la couverture habillée de cuir, solidaire de sa demi-épaisseur de carton. Elle était maintenant dissociée du bloc, désormais nu. Je plongeai l'autre demi-épaisseur solidaire des pages de garde dans l'eau tiède et les laissai reposer dans des bacs jusqu'à ce que la colle d'os qui les retenait encore à leur support se dissolve.

C'est en manipulant le bloc nu du livre du fanum que je vis à son dos, collé en deux points par le haut, un quart de feuille jaunie de cahier ligné d'écolier. D'une encre bleu-noir on avait écrit en s'appliquant, sur une colonne, une liste de noms de famille dont : "Soulanges", "Mangeon", "Segnac", "Lucas". Le dernier nom de la colonne était lui légèrement décalé et illisible.

Je faisais très souvent dans les livres ce genre de découvertes : des papiers oubliés, un pense-bête, une fleur séchée. Ce qui me surprit, ce fut qu'il soit collé au dos, ce pense-bête-là n'était pas un oubli.

Mercredi lorsque mon client appellerait, je mentionnerais cette liste, je lui suggérerais de la placer dans une pochette de carton, au contre-plat du verso, pour y avoir accès.

Je plaçai soigneusement la liste sous une boule presse-papiers, sur ma table de travail.

Je me remis à l'ouvrage. J'entrepris de nettoyer le dos du livre du fanum pour le libérer de la colle qui retenait encore les cahiers entre eux, lorsque je pris soudainement conscience d'une forte odeur de brûlé.

J'ai regardé partout autour de moi, sûre de voir monter un nuage de fumée d'un coin de l'atelier. Je ne vis rien. Pourtant, cette odeur était celle du bois qui se consume… une grosse bûche de bois humide qui fume.

J'avais peut-être laissé allumé quelque chose dans mon appartement au-dessus ? Je posai le livre et courus, montai mon escalier quatre à quatre. À mesure que je montais les marches, l'odeur s'éloignait.

Je montai pourtant jusqu'au grenier par acquit de conscience, rien ne brûlait sous ma charpente.

Je redescendis, sortis de l'atelier, me plantai au milieu de la ruelle, regardai autour de moi, en bas, en haut, les maisons autour. Et tout le temps, je tremblais sous le vent qui n'était plus fantasque, mais de force moyenne, constant et lourd d'une pluie fine et compacte. Les gens allant au pain se glissaient dans la boutique la tête rentrée dans les épaules et en sortaient dans la même attitude humble, courant à petites foulées se réfugier ailleurs, dissimulant leurs baguettes sous leurs vestes dans une attitude qui me rappelait celle de l'homme du matin et de son livre.

Il n'y avait aucune trace de fumée, de l'est où la ruelle naissait sur les marches de l'église Saint-Lazare, à l'ouest où elle finissait au pied du gué, pas plus d'odeur de pain au levain que de suie. Le vent et la pluie avaient tout pris.

Revenue à ma place, j'essuyai du plat de la main mon visage mouillé et une odeur de feu me caressa le visage. C'étaient mes doigts qui étaient imprégnés d'une odeur de fumée, de suie plutôt, âcre. Je pris le bloc à pleine main et le reniflai à son tour. L'odeur venait de lui. Pour que le papier s'imprègne ainsi de cette odeur de suie, une nuit passée près d'un feu de bois n'avait pas suffi.

J'allai me laver les mains.

Cet homme sentait la forêt, l'herbe verte, la mousse et la terre à plein nez, mais pas le feu.

Je débarrassai le dos de sa manche de papier journal, puis de sa mousseline, avant de diluer la colle à l'éponge. Je détachai ensuite les cahiers les uns des autres, je coupai les fils qui les liaient encore. Tout le temps que je ramenais ce qui avait été un livre à l'état de feuillets libres, j'imaginais l'effarement du propriétaire s'il frappait à ma porte maintenant, qu'il ait, disons, manqué son train : il ne reconnaîtrait pas l'objet qu'il m'avait confié tout à l'heure.

Ce livre était-il resté à fumer sur un manteau de cheminée pendant des années ?

Terminant son débrochage, je trouvai dans son dernier tiers, moulé dans l'épaisseur de plusieurs feuillets, un cube noir de trois millimètres de côté… Les deux pages qui renfermaient le dé noir avaient été comme léchées par une langue de fumée. J'ôtai le dé, le posai loin du livre et l'écartai finalement d'un revers de main. Il roula au bas de la table.

Je soufflai sur les chatons de fibres de papier chiffon gratté qui m'agaçaient le nez et sur cette image formée dans mon cerveau : celle de l'homme du matin étendu au travers de mon seuil, dans son maillot blanc.

III

Que dirait Cyrano de cette flamme soudaine pour un inconnu? Cyrano, que je vous prévienne, est mon "androthérapie". Il ne me quitte jamais. J'ai plusieurs éditions de la pièce de Rostand, et toujours une à l'atelier et une à côté de mon lit.

J'ouvre le soir le livre de la pièce au hasard. Je lis quelques pages et je m'endors. Mais je ne l'aime pas qu'au lit. J'ai abusé de lui dans bien d'autres circonstances comme lorsque je passais mes examens. Je l'avais tout le temps dans ma poche tel un gri-gri. Je l'ouvrais en attendant les épreuves ou ne l'ouvrais pas. Mais il était là. Le dernier concours fut celui de secrétaire aux Affaires étrangères. J'ai travaillé au Quai d'Orsay, à la direction d'Afrique et de l'océan Indien. J'y ai passé deux années.

C'était un double malentendu. J'avais cherché un métier pensant qu'aucun ne s'imposait à moi d'emblée – ce qui était faux – et j'avais dans l'idée aussi que "diplomatie" impliquait "médiation". Ce lien me plaisait.

Au Quai d'Orsay, un couloir infini agrémenté de moquette bleue, de portes et de murs peints d'un blanc immaculé, pendant un temps, m'impressionna bien un peu.

J'ai démissionné pour faire le seul métier qui m'allait et auquel j'avais essayé d'échapper, celui de relieuse.

C'est mon Allemand de grand-père qui m'avait appris cet artisanat. Il ne me venait pas à l'esprit quand j'étais enfant que cela pût être un métier de grande personne tant je prenais de plaisir à le faire à ses côtés.

C'est aussi mon grand-père qui m'a appris à aimer Cyrano. Il l'avait découvert, adolescent, étudiant en Allemagne, puis l'avait "retrouvé" dans le Sud-Ouest, dans les rangs de la Wehrmacht qu'il avait d'abord servie. Peut-être hanté par son héros de fantaisie, il avait déserté son armée et comptait parmi le peu de soldats allemands qui avaient rejoint le maquis après avoir fait leurs preuves en travaillant pour la Résistance alors qu'ils servaient toujours sous leur drapeau.

Mon courageux grand-père n'avait pas eu trop de mal à séduire ma grand-mère. Il l'avait suivie au nord de la Loire, elle y avait une grande maison et assez de place pour installer un bel atelier de reliure.

Il se mettait un faux nez, plantait une plume de poule rousse dans un panama éculé et nous déclamions en bataillant avec des épées de bois.

CYRANO
Je jette avec grâce mon feutre, je fais l'abandon du grand manteau qui me calfeutre...

Qu'aurait pensé mon grand-père de sa future ambassadrice devenue relieuse ? Qu'aurait-il pensé de l'agencement de son atelier, de sa vitrine ? Qu'aurait-il pensé de l'un des tout premiers visiteurs de l'atelier : M. le maire, M. Claverie, et de son entrée en scène. "La famille Claverie."

Je n'étais pas allée à la mairie en arrivant à Montlaudun, mais simplement à l'agence immobilière. Je n'avais pas demandé d'aide à l'installation à la commune. Je changeais de vie, l'idée qu'on puisse m'y aider ne m'était pas venue à l'esprit. Les notifications de mes changements d'adresse aux administrations, je les avais effectuées par courrier électronique. J'avais bien en tête d'aller en mairie pour m'inscrire sur les listes électorales mais cela ne m'était pas apparu urgent. C'est donc M. Claverie qui avait dû venir à moi.

Quelques semaines après mon déménagement, je travaillais à l'installation de l'atelier. Je boulonnais avec l'aide de mon père la grande lame courbe de mon massicot qui venait juste d'être affûtée quand M. le maire est entré sans frapper. Il s'est présenté, le sourire aux lèvres. La poignée de main était plus que franche, elle était incisive.

Il m'avait fait part de son étonnement : je ne m'étais pas présentée à la mairie ? C'était un reproche. Tout en faisant le tour de l'atelier, touchant à mes outils, faisant mine de s'intéresser à des livres que je restaurais pour des amis de mes parents, il avait insisté pour que je passe à la mairie, dès le lendemain : "La commune est toujours aux côtés des jeunes artisans, je veille personnellement à les soutenir." Comme j'allais répondre sans doute une bêtise, du genre : "Merci, je n'ai pas besoin de soutien", mon père m'avait fait un petit signe m'invitant à la réserve alors j'avais dit : "À demain."

M. Claverie est imposant physiquement, grand, assez élégant. Dans les joues, à ses mains pourtant un rien encore de paysan. Il inspire toujours la force à plus de soixante ans.

Il venait de céder sa pharmacie, il possédait la plus grande de la ville, bien en vue dans la rue commerçante principale.

Le lendemain de cette première rencontre, je fus annoncée à M. Claverie dans l'hôtel particulier du XVIIIe siècle qui abrite la mairie. Il y a un vaste bureau. Rien n'avait été épargné pour redonner, au fil de longues années, tout le brillant que méritait ce bijou du patrimoine historique de la ville. Au premier étage, on me laissa seule devant une élégante double porte de bois peinte d'un blanc crémeux. Je frappai et passai le seuil d'une grande salle dont les encadrements des miroirs, des boiseries, des moulures du plafond, dont les lustres, étaient rehaussés de dorures. Les tentures pourpres, rouge sang, semblaient, compatissantes, dessiner des saignées dans ce trop-plein d'or : "Le théâtre de M. Claverie."

Il se leva solennellement de son fauteuil, style de roi, pour me saluer et me désigner la chaise beaucoup plus humble qui, de l'autre côté de sa splendide table de travail, lui faisait face. Avec beaucoup de mouvements de mains, il répéta, sur des tons changeants, emphatiques, bouleversants, je ne sais combien de fois la même chose : il me "promettait", "s'engageait", "personnellement", à assurer la promotion de mon atelier de reliure dans la région. La commune se faisait un devoir de prendre en charge les locations de stands dans des foires où les jeunes artisans devaient se faire connaître. On m'inscrirait ici et là, on notifierait tel ou tel organisme. On assurerait ma promotion. J'aurais dû, je le voyais bien, m'évanouir de plaisir.

MONTFLEURY, après avoir salué, jouant le rôle de Phédon
Heureux qui loin des cours, dans un lieu solitaire,
Se prescrit à soi-même un exil volontaire,
Et qui, lorsque Zéphire a soufflé sur les bois...
LA VOIX
Roi des pitres,
Hors de scène à l'instant !
MONTFLEURY, rassemblant toute sa dignité
En m'insultant, monsieur, vous insultez Thalie.
CYRANO
Si cette Muse, à qui, monsieur, vous n'êtes rien
Avait l'honneur de vous connaître, croyez bien
Qu'en vous voyant si gros et bête comme une urne
Elle vous flanquerait quelque part son cothurne.

J'étais sortie du grand bureau doré, lumineux, de M. Claverie, non pas charmée, mais un peu saoule et je l'avoue, un rien "domestiquée". Cet homme était assommant mais n'était pas mauvais. Il m'avait raccompagnée jusqu'au perron de la mairie, son bras protecteur entourant mon épaule, me disant que nous étions désormais amis. C'était trop, j'avais ri.

Scalpel en main, odeur de suie au nez, le débrochage était terminé, les vieux fils coupés et jetés à la corbeille. J'avais ce faisant pensé à mon grand-père, à Cyrano, à Montfleury, à Claverie et la porte de l'atelier s'ouvrit.

C'était André, mon boulanger et mon ami, c'est vrai qu'il était déjà dix heures. Il fit glisser de ses épaules sa grande cape imperméable kaki à capuche sans dire un mot, et la pendit au perroquet. De son accent du Sud-Ouest, légèrement chantant.

— Ah dis donc ça mouille !

Il s'avançait vers moi, tranquillement et de toute sa rondeur, souverain, calot planté sur l'arrière du crâne, tout de blanc vêtu, si ce n'était le pantalon vichy. À la main il balançait le petit sac en papier qui contenait mes chouquettes. Tous les matins à dix heures, André finissait le gros de sa journée et traversait la rue pour fêter ça. Je m'étais foulé la cheville peu de temps après mon installation, il me rendit ce service de m'apporter ma commande à l'atelier. Le rituel avait pris corps à ce moment-là.

C'était un homme généreux, excessif, qui m'avait adoptée comme il en avait aidé d'autres, qui me nourrissait comme certaines grands-mères au grand cœur les pigeons ou les chats. Des chouquettes, j'aurais pu m'en passer, mais des visites d'André, difficilement.

Il jouait à l'envahisseur mais ne l'était pas. Il rendait ma vie plus jolie à raison d'un quart d'heure par jour de provocations tonitruantes ou d'attentions délicates, car il en était capable.

Il me chahutait à propos de mon atelier mais s'y sentait bien, il le "dépaysait". Et c'était un plaisir de croiser dans le halo de lumière de ma lampe de bureau, ses petits yeux bleus rieurs sous ses sourcils gonflés de farine. Ce jour-là, il était particulièrement détonant.

— Bonjour belle rousse aux yeux noirs. Tu t'es levée tôt ce matin !

— Comme d'habitude.

— Non. Tu étais dans la rue à rentrer ton volet et à flairer le vent plus tôt que les autres jours.

— Oui, de dix minutes peut-être.

— Tu vois, tu ne t'imagines tout de même pas que je ne t'espionne pas ? Je l'ai vu sortir en catimini ton bonhomme, entre chien et loup.

— C'était un client qui passait déposer un livre, il est resté cinq minutes seulement… ou dix…

— Jeune et beau ?

— Oui.

— Il est resté dix minutes ? Seulement ? Ah… Dommage, encore un couillon. Tout de même si c'est pas malheureux de passer tes nuits seule, une belle fille comme ça. Tu ne vas pas ruminer le départ de ton saligaud de l'année dernière encore longtemps non ! Enfermée dans ton atelier où il n'y a jamais un chat.

— Ah, et ces livres autour de moi, l'action du Saint-Esprit ?

— Mais c'est que je vais finir par me le demander ! J'y pense, c'est peut-être pas moi l'espion, si c'était toi ? Envoyée par la grande ville pour torpiller le réseau d'informations des boulangers de campagne. C'est quoi ces traces noires que tu as sur le museau ?

— Ah… de la suie… C'est rien… Arrête de me faire rire et donne-moi mes chouquettes.

— Bon, t'as un bonus ce matin. Une chouquette, une seule, mais regarde si elle est belle : ronde comme un sein de nourrice et blonde, blonde… Quand je l'ai sortie du four, j'en ai appelé ma femme… ça l'a laissée froide, elle a jamais rien compris à la boulangerie-viennoiserie-pâtisserie. Tiens… arrête de rougir et de rire, mange. Quoiqu'un peu de couleur, ça nous ferait pas de mal, t'as vu ce temps ?

— Oui.

— On ne m'enlèvera pas de l'idée que tu as quand même l'air bizarre ce matin.

— Non. Tiens, ton café.

— T'as l'air bizarre je te dis. T'as les yeux perdus, c'est le temps ? Les femmes… c'est sensible…

— Laisse les femmes tranquilles, tu me déconcentres. Après tes visites il me faut une demi-heure pour me remettre au travail, je ris toute seule comme une toquée.

— Bon, j'ai compris, je ne viendrai plus.

— Chiche.

— Ce serait tout de même pas ce grand gaillard de ce matin qui t'aurait tourné les sangs des fois ?

— Mon Dieu ce que tu es curieux.

— Ah ! Je suis donc sur la bonne voie… Ce que je dis, c'est en toute affection, de toi à moi…

— Je ne le connais pas. Je ne connais même pas son nom. Il a peut-être une maison dans un hameau du coin, il avait les pieds trempés, trempés du gué, il sentait la forêt à plein nez… il allait prendre le train mais il n'avait pas de bagages, peut-être à la consigne… Non… c'est tout, il m'a apporté un livre intéressant… J'ai commencé à travailler dessus… Voilà.

— Oh ma fille, tu t'emmêles un peu les crayons, c'est bon signe. Bon alors c'est entendu, si j'apprends quelque chose d'intéressant à son sujet, je viens te le rapporter dans la minute.

La boulangerie est presque en face de mon atelier de reliure. Le premier jour de mon installation dans cette ville, je suis allée acheter un croissant. Un des meilleurs que j'aie jamais goûté.

André blaguait le monde, l'interrogeait. Jovial, il était très populaire chez les petits, les adolescents, les vieux… pourtant on le ménageait, car derrière la séduction qu'il exerçait, on respectait ses avis et craignait ses colères.

La première fois qu'il m'avait abordée, il savait déjà tout de moi. Par bribes d'information obtenues par le maçon, par mes parents surtout qui étaient venus beaucoup au début pour m'aider à m'installer et qui faisaient les courses.

Notre premier dialogue, commencé alors qu'il était dans le fournil et moi dans la boutique, avait dû donner à peu près ça.

— Alors c'est vous la nouvelle ? Vous avez des gentils parents ! Ils ont l'air de prendre ça pas trop mal ? Quelle idée tout de même ! Quitter la grande ville pour ce trou dans lequel ma femme est née, oups pardon Gisèle… ! Et on m'a dit… que… vous veniez de commencer à travailler comme diplomate : la belle vie, champagne tous les jours, chauffeur… Vous n'avez pas la bosse du commerce vous ! Vous allez en être une drôle de voisine ! Vous préférez vraiment venir coller des vieux papiers dans notre ruelle d'artisans, vous user les yeux et le tempérament pour des clients qui vont toujours trouver votre travail trop cher ! Ah la jeunesse !

J'étais sidérée, médusée du culot de cet homme, de son bagou, effrayée à l'idée d'avoir cet énergumène pour voisin. Sa tirade attendait-elle une réplique ?

Sa femme me soutint un peu, si l'on veut, elle lança laconiquement :

— André, laisse la dame. Il est mal élevé ! On ne le changera pas.

Il passa sa tête aux petits yeux bleus malicieux à la porte du fournil :

— Bonjour ! N'ayez pas peur, j'aime bien causer, ça mange pas de pain. Bienvenue dans la ruelle mademoiselle ! Ah, au fait, c'est madame ou mademoiselle ? Faut qu'on s'entende.

Sa femme :

— André, tu vas laisser la dame !

Moi :

— Mademoiselle !

— Ah, profitez, profitez !

J'ai eu un fou rire.

André :

— Bon ben ça y est, on est copains. Ma femme, elle est rabat-joie, faut pas faire attention. Quand on se fréquentait, je la faisais rire, hein Gisèle ? C'était un bonheur… du jour où on s'est marié, fini, c'est le prêtre qu'a dû lui jeter un sort. Ah, vous allez voir, il s'en passe des drôles de choses dans nos campagnes. Quelle idée vous avez tout de même de venir vous installer ici !

— Il n'y a rien à regretter, en face du Quai d'Orsay, il n'y a pas de boulanger, c'est les Invalides… et surtout pas de boulanger qui met dans sa vitrine une galette des rois qui ne ferait pas peur à Gargantua. Je n'en ai jamais vu une comme ça. Comment avez-vous fait pour la cuire ?

— J'ai un four secret chez le roi des boulangers.

— Quand elle est rassie, vous jouez aux fléchettes ?

— Malheureusement, on ne peut pas, c'est une galette sacrée. Je l'ai fait bénir par le curé.

— Celui qui vous a marié ?

— Ah non, celui-là on l'a usé il y a longtemps. Mais le nouveau, c'est un gourmand !

CYRANO
Aimez-vous le gâteau qu'on nomme petit chou ?
LA DUÈGNE, avec dignité
Monsieur j'en fais état quand il est à la crème.
CYRANO
J'en plonge six pour vous dans le sein d'un poème
De Saint-Amand,
Et dans ces vers de Chapelain
Je dépose un fragment, moins lourd, de Poupelin.

Ah! Vous aimez les gâteaux frais?
LA DUÈGNE
J'en suis férue!
CYRANO
Veuillez aller manger tous ceux-ci dans la rue.
LA DUÈGNE
Mais...
CYRANO
Et ne revenez qu'après avoir fini!

IV

J'avais attendu qu'André soit parti pour mieux croquer dans la chouquette d'où s'égrenèrent des éclats
de sucre qui crépitèrent sur le parquet, les autres fondaient délicieusement sous ma langue. Suie et sucre.
Suie. Je n'oubliais rien du livre, ni de l'homme dont
j'attendais l'appel.

Les couvertures du livre du fanum reposaient toujours dans leur bain d'eau tiède. Le beau papier de
garde se libérait de son support aminci de carton. Je
devais encore attendre.

J'avais d'autres patients que le livre du fanum. Il
me fallait revenir "aux livres sages" et à leur pile.

J'eus une pensée pour les livres terminés de relier
l'avant-veille au matin, samedi. Leur propriétaire
était venu les chercher dans l'après-midi. Il était si
pressé de les retrouver qu'il les aurait emportés la
colle à peine sèche. Celui-là m'avait payée avec le
sourire.

Je suis toujours embarrassée de tendre la main
pour recevoir l'argent de mes clients, le manque
d'habitude encore. Quand je me sépare de mes livres,
je ne sais jamais si ce que je demande pour le temps

que j'y ai passé est beaucoup trop ou pas assez. Ces livres, que je photographie juste avant leur départ, que je mets en album à l'intention des futurs clients, me manquent le premier jour de leur absence, ils manquent à mes mains, à mon nez.

Je consultai à nouveau les notes établies par les propriétaires : des notes serrées et très précises, annotées de ma main, spécifiant ce qui devrait être gravé sur les dos, bardés de nerfs au grand complet pour ceux qui auraient droit au cuir. Leurs propriétaires ne vivaient pas pour rire, petits commerçants, passés de la vente au détail à la vente en gros, ils s'étaient fait construire une grande maison. Ils avaient gagné le droit d'être habillés en dimanche tous les jours et d'avoir une petite bibliothèque. Il y avait les livres de son "côté à elle" et ceux de son "côté à lui", tous également prix de certificats d'études ou de catéchisme de leurs vieux parents pas encore morts. Chacun ses livres, mais un seul budget et une marge haute à ne pas dépasser. Ils avaient pensé les choses jusqu'au moindre détail quant au matériel et aux couleurs : deux cuirs, un rouge et un brun. Quatre toiles, grenat pour elle, vert sapin pour lui.

Tant pis. Au moins ce travail-là me reposerait-il. J'imaginais chacun de mes livres sages idéalement, tels qu'ils devraient être, des chasses à la courbure du dos.

La couverture cartonnée du premier était coupée au niveau du mors, le dos ne tenait plus qu'au plat du verso. Le bloc avait glissé mais la couture tenait bon, y compris sur les premiers et derniers cahiers.

Le livre suivant avait lui besoin d'être recousu. Je le refermai, me représentai la mollesse ou la raideur du papier sous la pointe de l'aiguille, le son du fil, flûtant à travers les fibres des feuillets à recoudre.

J'attaquai, commençai par ceux aux couvertures dures. Munie d'un scalpel, j'incisai les pages de garde tristes et fanées des contre-plats, sectionnai sur toute la longueur, au-delà des ficelles. Je donnai un coup violent et sec sur le contre-plat qui céda. L'opération coup-de-poing terminée, je finis de les déshabiller. Les blocs étaient nus à présent. Je nettoyai délicatement avec une éponge leur dos à l'eau tiède. Ils n'avaient que peu souffert du temps, un peu d'avoir été empilés de guingois, ce qui avait déformé les dos, fait glisser les blocs. Celui-là, en bas de la pile, n'avait pas été mis au repos avec les autres mais dans un placard mal aéré de grand-mère, je le déshabillai le premier de sa toile tachetée de moisissure. Je le mis, à défaut de soleil, sous une lampe.

Ces livres avaient été peu lus mais ils l'avaient été, pour preuve : une tache de doigt d'enfant ici, une trace de beurre, de chocolat, un insecte écrasé, un trèfle à quatre feuilles… La vieille colle fondait, se diluait sagement. Les presser pour les redresser, les coudre pour certains, les encoller, et préparer leurs nouveaux habits…

Je travaillais sur eux, en pensant à l'autre : aux pages de garde aux fleurs de lys qu'il faudrait bientôt mettre à sécher, à l'odeur de suie, au client et au livre sans nom, à son auteur inconnu. Je décidai, puisque ce fanum sorti de terre n'avait ni repère ni points cardinaux, qu'il était imaginaire. Quant au livre lui-même, étrangement, il m'était familier, du fait de l'attente que j'avais de revoir l'homme qui le possédait ? Du fait peut-être qu'il était relié à l'allemande ? Sans doute. Mais au-delà des faits, mon attachement à l'objet continuait à me sembler étrange, déplacé.

Je m'étais demandé si l'auteur des dessins pouvait être mon client.

Non. Le papier était d'excellente qualité mais le livre montrait quelques signes d'ancienneté, les plus flagrants étant les signes d'usure lente, de décoloration graduelle du cuir, aux coins, au dos.

Je pris ma pince à épiler et allai vérifier, dans leur bac d'eau, l'état des pages de gardes aux fleurs de lys, elles se désolidarisèrent, luisantes sur l'envers en glissant de leur fin support de carton. Je les mis à sécher au fil, comme on étend un linge délicat.

Midi sonna à l'église Saint-Lazare. Mon client du matin avait-il mangé ?

J'enfilai ma veste pour aller comme tous les lundis à cette heure acheter mes journaux quand le téléphone sonna. Pour une fois je me précipitai vers le téléphone. Ce n'était que le prêtre de l'église Saint-Lazare, l'abbé Maupin, qui voulait que j'aille le voir au presbytère, il avait du travail pour moi. On prit rendez-vous et je sortis en direction du gué.

Des journaux, j'en achetai deux, *Courrier international*, et *Le Monde*. Je vais les prendre le lundi, les deux me font la semaine.

Avec le recul de ces années d'installation à Mont-laudun, je réalise ces manies qui sont les miennes : rite du petit-déjeuner à l'atelier, des journaux que je n'oublie jamais, des promenades au gué à dix-huit heures. Elles ont pris racine aux premiers jours de mon installation dans la ruelle.

À Paris, je déclarais honnir l'habitude, la fuir. Je survolais les journaux, ne lisais avec mon monocle de diplomate que ce que je devais, pour le reste, faisais semblant. Aujourd'hui, ici, du quotidien du monde, je lis tout, tous les articles, politiques, économiques, sociaux, la mode, les rubriques nécrologiques, les pré-noms choisis pour un nouveau-né précédés par ceux de toute la lignée, les publicités, les offres d'emploi. Je décortique tout.

Le *Courrier international*, c'est le dessert, je le lis après.

J'achète mes journaux dans la librairie-papeterie de la ruelle tenue par une mère et son fils, céliba-taire au ventre mou. Le magasin de ces deux extra-terrestres est du même côté que la boulangerie, pris entre deux maisons muettes des années trente. La mère n'est pas bavarde, lui, carrément muet. Il n'émet que d'imperceptibles "merci", "bonjour" et "au revoir", chiches paroles conditionnées par sa caisse enregistreuse.

Ils allaient fermer pour le déjeuner, la mère était infailliblement montée une heure plus tôt préparer le repas. Même pour la pause de mi-journée, le rideau métallique roulerait à terre dans un bruit d'enfer, à midi trente précise.

Je me dépêchai vers mes nouvelles de Paris et du

monde, je les cueillis juste avant que le couperet ne tombe.

Sur le chemin du retour, comme à l'aller, pas âme qui vive dans la ruelle. Des fonds d'applaudissements de jeux télévisés et des cliquetis de fourchettes parvenaient jusqu'à moi par les fenêtres entrouvertes.

Le vent était tombé mais le ciel restait bas et sombre. Je passai prudente comme une chatte devant l'épicerie exsangue "des deux sœurs", l'une folle, l'autre pas… Elles attendaient pour fermer boutique les soixante-cinq ans de la plus jeune et sa retraite. Si la folle, la plus vieille des deux, n'épiait pas le monde, c'est qu'elles devaient déjeuner elles aussi. Une maison aux volets toujours clos les séparait de l'atelier du cordonnier contigu au mien.

Notre cordonnier s'appelle Sébastien, et comme la musique ne faisait pas trembler ses murs, j'en déduisis qu'il était à Bordeaux. Sébastien est un exalté, un toqué ou un sage, c'est selon. Nous étions petit à petit devenus amis. Nous ne nous voyons pas tous les jours, mais j'aime le savoir vivre à côté de chez moi.

Ce lundi-là, je bâclai mon déjeuner et la lecture de mon quotidien pour redescendre plus tôt à l'atelier. Je me replongeai dans l'examen des aquarelles et des dessins. En m'occupant du livre, je compensais le malaise qui me pesait d'avoir laissé son maître partir encore chancelant. Il y avait si longtemps qu'un homme ne m'avait pas intriguée, charmée autant. J'aurais voulu me laisser aller à y penser mais les effluves de suie âcre m'agaçaient la gorge. Après avoir mis les gardes aux fleurs de lys sous presse, j'allai chercher une éponge en latex. Une grande partie de l'après-midi, page après page, je tentai d'emprisonner les particules de suie et les traces de fumée dans l'éponge. Je n'aurais pas été surprise, à l'aquarelle suivante, de découvrir l'image de la forêt en feu.

En fin d'après-midi seulement, je me remis à travailler sur mes livres sages. Le téléphone sonna quatre fois. Ce n'était jamais lui.

De toute manière, ces sonneries m'irritent. Je suis en train d'encoller ou de dorer, ou les mains dans l'eau, ou en train de prendre une mesure… On n'appelle jamais au bon moment.

Je n'avais plus de téléphone portable. Je les avais tous les deux soigneusement enfermés dans une boîte, dans un grand tiroir à naphtaline, quelque part là-haut, épinglés sur une mousse comme insectes vidés de leurs sucs. Serrée dans le même tiroir, se trouvait la montre mécanique arrêtée de mon grand-père, dans son coffret de velours rouge. Elle n'était pas seulement arrêtée d'ailleurs mais cassée. Le remontoir ne voulait plus rien savoir.

Je reconnais que les nouvelles portées par le téléphone ce jour-là étaient bonnes. Un client viendrait le lendemain avec quelques ouvrages anciens. Une secrétaire de mairie m'invitait à venir estimer certains travaux à réaliser sur les archives de la commune.

"Lui", le client du matin, beau comme une statue, ne craignait pas les sonneries de téléphone, ni le trop peu ni le trop-plein, il n'était pas asphyxié par l'air du temps. Il était comme aspiré du dedans.

Pourquoi avait-il dit que le livre aurait une vie plus rangée dorénavant ? Allait-il le vendre ?

À ce livre qu'il gardait serré sur son ventre, ne tenait-il pas ?

Pourquoi alors semblait-il éviter de poser son regard sur l'objet ?

Je l'imaginais offrir ce livre à quelqu'un, du geste qu'il avait eu en me tendant le billet. J'avais de la pudeur à le regarder le matin tant il était tout ensemble mystérieux et sans fard. Je ne pouvais me l'enlever de l'esprit. Cet homme, à trop cacher, était nu.

Six heures : je chaussais mes bottes, fermais ma porte et j'allais me promener, quel que soit le temps et pendant une heure au moins. Je retravaillais souvent plus tard.

À six heures, je passai à gué le lit pavé de la rivière. J'avais mon beau géant du matin en tête, je me le représentais, comme moi en cet instant, les pieds dans le courant.

Puis je longeai la rivière en amont, je faisais face à "La Montagne" couverte de forêts. Mon homme en était peut-être descendu. Quelques minuscules hameaux de trois ou quatre maisons s'y cachaient, on m'avait parlé d'un moulin aussi.

Au retour, je m'arrêtai à la boulangerie. André fermait au ralenti. Il m'attendait, la nuit tombait.

En me tendant ma demi-baguette :

— Je t'avais promis des nouvelles la Belle, j'en ai… mais j'étais pas pressé d'aller te les donner, elles sont pas bonnes. Tu as entendu l'ambulance ?

— Non, quand ?

— Ce matin… Ton gars, il a jamais pris le train… le transporteur Mangin venait de livrer à la gare. Il repartait à vide, le vent dans la voilure : concentré là-dessus sûrement bien et sur les essuie-glaces qui ne fournissaient pas à dégager le pare-brise de la pluie battante… Il paraît qu'il roulait pas à beaucoup plus de cinquante mais le chauffeur ne l'a pas vu, il a juste entendu le bruit… À la tempe ça l'a pris, tué net. Il traversait l'esplanade la tête rentrée dans les épaules pour se protéger du vent, de la pluie… Ils l'ont transporté là-haut, à l'hôpital… La famille l'a peut-être déjà fait chercher… Il a pas souffert va…

— Si.

J'ai traversé pour rentrer chez moi. Mais lorsque je me suis retournée pour faire face à l'atelier, je ne l'ai pas reconnu. Sur mon seuil, j'ai vu les empreintes blanchies de ses pieds mouillés. Le silence des livres était plus âcre que la suie. J'ai jeté mon pain sur le comptoir de marchande, claqué la porte de l'atelier en oubliant de verrouiller et j'ai marché vers les hauteurs de la ville, vers l'hôpital.

ROXANE, à Cyrano
Promettez qu'il sera très prudent !
CYRANO
Oui, je tâcherai, mais...
ROXANE
Qu'à ce siège terrible il n'aura jamais froid !
CYRANO
Je ferai mon possible. Mais...
ROXANE
Qu'il sera fidèle !
CYRANO
Eh oui ! Sans doute, mais...
ROXANE
Qu'il m'écrira souvent !
CYRANO
Ça, je vous le promets !

V

L'hôpital est en haut d'une colline, la côte est si pentue qu'elle est impraticable à vélo. Monter vite à pied cette pente prenait toute mon énergie. Je n'étais capable que d'une idée et demie : arriver avant qu'on enlève le corps. Et si on l'avait déjà enlevé qu'on me donne les coordonnées de sa famille à qui je remettrai le livre en tout point restauré comme il l'avait souhaité. Arriver avant qu'il ne reste de cette rencontre et de cette mort qu'un livre errant et du vent.

À l'accueil, deux dames parlaient des frasques de leurs enfants, depuis l'entrée je les entendais distinctement. Elles seraient bientôt tranquilles pour causer, les va-et-vient dans le hall blanc s'espaçaient. Elles prenaient un petit "en-cas" de babillages, s'installaient pour la nuit. Elles parlaient entre elles, comme chez elles, l'une se grattait l'épaule au niveau de sa bretelle de soutien-gorge avec un double décimètre et l'autre appuyait avec nonchalance son coude sur le rebord du meuble d'accueil, entrebâillant largement l'encolure de sa blouse.

Me voyant avancer humblement vers elles, je pensais qu'elles allaient s'interrompre, elles ne m'accordèrent que de ralentir le débit un instant, jetèrent un œil de côté dans ma direction et reprirent leur conversation de bon cœur, me laissant la primauté de les déranger.

— Bonsoir.
— Bonsoir.
Seule celle de service à l'accueil me salua. L'autre se mit en veille.

— Un homme s'est fait renverser par un camion devant la gare ce matin. On l'a, m'a-t-on dit, transporté ici à la morgue. Je suis relieuse en ville, cet homme était un client. Il est mort sur le coup, enfin c'est ce qu'on m'a dit…

Un espoir fou m'envahit :

— … Est-il bien vrai qu'il est mort ?

— Comment voulez-vous que je sache, je n'étais pas de service ce matin, je ne fais pas des journées de seize heures ! Son nom ?

Elle se mit en position de chercher sur son ordinateur, après avoir jeté un regard complice à sa collègue, les doigts déjà en lévitation au-dessus du clavier. Je dus encore la contrarier.

— Je l'ignore.

— Comment ça ? C'est un client que vous devez bien connaître pour venir prendre de ses nouvelles à l'hôpital.

Elle jeta un nouveau coup d'œil de connivence à sa collègue qui très professionnellement resta impassible.

— Il est venu pour la première fois ce matin, juste avant l'accident… Écoutez madame, je suis probablement la dernière personne à qui cet homme a parlé. Je veux savoir s'il est mort, si oui, s'il est encore à la morgue, si oui, si je peux le voir. Vérifiez les entrées de ce matin.

La dame s'exécuta.

— Il y a deux entrées à la morgue pour ce matin, une vieille dame et un homme jeune, mort sur le coup suite à un accident sur la voie publique, sans identité, personne ne l'a réclamé, le cas a été transmis à la gendarmerie. Le corps est toujours là. Et n'étant pas un proche vous ne pouvez pas le voir.

— Ah… Je vous laisse cette carte. Quand la famille se présentera, donnez-la-lui, au dos, écrivez s'il vous plaît qu'à l'atelier un livre les attend.

Je redescendis la butte, cabrée pour contrarier la pente qui m'aspirait.

L'indifférence à ses pieds trempés, la solitude absolue de cet homme dans la mort m'accablait.

Enfermée au creux de mes poings serrés, je gardais précise la sensation, non seulement du poids, mais de l'empreinte de son coude moulé dans la toile cirée de l'imperméable. Elle s'était imprimée au creux de ma paume ouverte alors que je l'avais aidé à se relever.

Si seulement je n'avais pas de souvenir, si seulement je ne l'avais pas touché, senti.

Si seulement il ne m'avait rien laissé !

Si seulement il ne m'avait pas laissé ce livre-là !

J'étais responsable du livre du fanum et de peut-être beaucoup plus encore.

Le retenir quelques secondes de plus aurait suffi.

Ses derniers mots avaient été : "Je vous appellerai."

C'est idiot mais j'attendais encore, comme s'il ne pouvait pas faillir, comme s'il me le devait.

"Il aura une vie plus calme, plus rangée, on en prendra soin désormais."

Il voulait offrir le livre du fanum, à qui ?

L'homme était faible ? Quelle faiblesse ? Celle de cette main d'acier autour de ma cheville ?

Qui est ce roi mort d'avoir feuilleté un livre de chasse dont chaque page avait été empoisonnée ?

Même mort, il me semblait souffrir encore.

J'étais près de la gare, l'idée me traversa de prendre un train pour Paris.

J'avais prévu qu'un jour peut-être j'en aurai envie et je me l'étais interdit : j'avais investi dans l'achat de la maison de la ruelle tout l'héritage de mon grand-père. Il n'y avait pas de retour en arrière possible.

Je me laissai couler plus vite en bas jusqu'à la rivière.

Qu'allais-je faire de ce livre qui avait été, un jour, si soigneusement relié, que je reliais à mon tour ?

En bas, les réverbères veillaient sur la nuit, sur quoi d'autre ? La petite ville sommeillait même de jour. De l'intérieur de mon cocon si laborieusement tissé, l'homme du matin tirait le fil. Je repassai le gué.

Et si Sébastien, le cordonnier, était rentré de Bordeaux ? Non. Il n'était pas encore de retour.

Je rentrai "chez moi" – puisqu'il faut appeler ainsi cet endroit qui ne me connaît pas. Je ne regardai pas ses traces de pas laissées sur mon seuil. D'ailleurs je n'allumai aucune lumière. Je laissai derrière moi l'atelier dans le noir et montai à tâtons l'escalier jusqu'à l'étage. Je me couchai ce soir-là sans dîner et les yeux grands ouverts je revins malgré moi en arrière. J'avais choisi seule cette région, cette ville, cette maison, guidée par un mort et un personnage de théâtre et c'est la mort encore qui frappait.

Où étais-je ?

Quatre mois après mon installation dans la maison de la ruelle, le propriétaire à qui je louais m'avait proposé d'acheter. Bien que le pont de ma vie ancienne à la nouvelle soit construit, j'avais le sentiment que ce n'était pas assez, que je devais encore sauter par-dessus le parapet, un élastique à la ceinture. J'ai dit oui.

J'ai vidé les combles, descendu sur les deux étages, par les escaliers étroits, des sacs et des sacs de poussière et de rebuts. Mes hôtes de l'été, amis et proches, m'y ont aidé. Là-haut, deux parois de brique divisaient l'espace, elles ont été intégrées à deux chambres avec leurs cabinets de toilette. Elles ne servent que l'été mais j'y tenais. J'ai dû prendre quelqu'un pour le gros œuvre mais j'ai posé les carrelages et fait les peintures moi-même.

J'avais vécu pendant six mois sur mes économies. À l'atelier, dans la journée, je téléphonais ici et là, je peaufinais mon site sur la toile électronique et comme je n'arrivais pas à m'en remettre aveuglément à M. Claverie, je m'agitais sur les marchés pour me faire connaître. Je trouvais cela beaucoup plus épuisant que, tard dans la nuit, lisser un enduit.

C'était fini enfin. En haut, les combles étaient aménagés, en bas, les clients commençaient à pousser ma porte.

J'avais reçu mes parents. Ils étaient rassurés je crois.

L'inconnu du matin, le mort, arrivait dans ces circonstances. La maison commençait à peine à m'appartenir, moins d'avoir mon nom au bas d'un acte de propriété, moins d'être le fruit d'un héritage, que d'y avoir sué pour la faire mienne.

Pour une maison à colombages, ma maison est claire : les fenêtres à petits carreaux sont nombreuses, la façade des deux étages, côté ruelle n'est quasiment constituée que d'elles et de solives de bois noir. Voilà pour la lumière.

On peut considérer aussi, si l'on est méchant, que la ruelle est sombre et que la maison n'est qu'un grand courant d'air, mais j'aime le vent.

J'aime les petites pièces reliées par trois ou quatre marches de bois. Mes amis, jeunes parents, ont dit que la maison était charmante mais "impraticable" pour les enfants. Pourtant ce sont ces derniers qui l'ont aimée le mieux.

J'avais tout si bien préparé, je m'étais donné tant de mal pour bien faire, tout était prêt à "l'"accueillir. Je voulais qu'"il" revienne frapper à la porte de ma maison neuve, cet homme qui semblait me parler de bien plus que de l'avenir.

C'était la nuit et la nuit égare, malmène nos repères dans l'espace et dans le temps.

Je me forçai à fermer les yeux, me recroquevillai sur le côté, m'enroulai encore plus serré dans la couverture… Mais ne trouvai pas le sommeil.

J'avais eu un compagnon qui était reparti pour Paris deux mois à peine après mon déménagement. Je crois vaguement me souvenir avoir été quelque temps amoureuse de ce "saligaud-selon-André". Peut-être que s'il ne m'avait pas fait croire qu'il était en tout point en accord avec moi, que Paris était ringard, que j'avais tellement raison qu'il me suivrait dans ma migration, je n'aurais pas fait le pas. Ridicule. Et au mieux, touchant, comme cette petite fille de douze mois qui pour faire ses premiers pas se tenait fermement, petits poings serrés à en trembler, aux plis de sa propre jupette. Si on lui faisait lâcher sa jupe, elle tombait sur les fesses. Ce "bon-à-rien-selon-André" aura fait office de leurre, de jupette. Je n'en suis pas fière.

Si je n'avais eu un métier depuis toujours, qui ne prétendait rien que d'associer des outils simples à des gestes patients pour qu'un livre renaisse au moins pour cent à cent cinquante ans, j'aurais sans doute fait comme les autres, je serais partie en poste à l'étranger. Lorsque l'on m'a demandé de soumettre mes vœux, j'ai su que je devais prendre une décision.

Je cachai d'abord à ma famille que j'allais quitter le Quai d'Orsay. La mort de mon grand-père, après m'avoir d'abord paralysée, accéléra la rupture. Changer de vie implique beaucoup de brouhahas, de petits tracas, qui agissent comme de la glace sur une brûlure. Le charivari a masqué mon incompréhension de ne plus être jamais entendue de lui, de ne plus pouvoir m'adresser à lui. Jamais. J'ai déménagé.

Refusant par principe que les dés soient jetés d'avance, j'avais visité beaucoup de grandes villes du nord au sud, mais, inspirée par Cyrano, c'est dans cette ruelle d'une petite ville de Dordogne, à Montlaudun, que je me suis posée. Aucun relieur à des dizaines de kilomètres à la ronde et la jeunesse de mon aïeul qui courait peut-être encore dans ces forêts de Dordogne, le nid de maquisards de la dernière guerre.

En dehors de la clientèle locale et des archives des municipalités à restaurer, beaucoup d'étrangers s'installaient dans la région qui voudraient peut-être quelques beaux livres pour décorer les bibliothèques de leurs manoirs.

L'atelier m'avait séduite d'emblée, il était comme je l'imaginais avec le bel escalier et l'appartement au-dessus. De toute façon, ma voiture ne tenait plus le coup, il était temps que la quête s'arrête.

Le dossier m'instituant artisan était prêt, le stage de comptabilité requis fixé. Un peu plus d'un an fut nécessaire à mon installation. C'est très court une année.

Ce compagnon, donc, "Saligaud-selon-André", était venu d'abord les week-ends quand nous n'avions déjà plus besoin l'un de l'autre. Pour ne pas se dédire, il m'avait rejointe mais de fort méchante humeur.

Il était graphiste. Il est sans doute d'ailleurs toujours graphiste : chargé de donner en images une identité à une marque, à un produit qui en manque, tic professionnel qui l'avait contaminé. Il était beau garçon, gagnait bien sa vie, se vantait d'être indépendant, en phase, flexible, parfaitement équipé en outil informatique, passionnément lié à ses portable-oreillettes qui lui donnaient l'air d'une crevette.

Vu de Paris, il m'avait séduite et, lorsqu'on doute, rencontrer quelqu'un qui semble savoir où il va, c'est très divertissant. Il était vif, savait n'avoir qu'un souci esthétique des choses et il prenait de jolies photos. Il avait l'œil. Je le trouvais… créatif.

En province, il ne se sentait je crois à sa place que le billet de retour pour Paris en poche.

Il travaillait en haut, moi à l'atelier en bas. Les sonneries de ses téléphones dérobaient mon silence. Sa voix résonnait dans les murs, descendait l'escalier.

Des chuchotements sur coussins d'air de son imprimante aux récits téléphoniques épiques de sa soi-disant installation à la campagne, tout m'exaspérait. Avec lui à mes côtés, je me sentais comme en banlieue, encore en transit, opposée en flux tendu à nos lâchetés et nos manipulations mutuelles.

Pourquoi me serais-je battu la coulpe quand, enfant prodige, il rentrerait au bercail, l'identité toute bouffante d'une vraie expérience, libre et riche d'une rupture sans grand aménagement : son appartement n'était loué qu'à deux étudiants qui lui feraient un peu de place en attendant de refaire leurs valises.

Parfois, mon "homme à la mode" me descendait une tasse de thé. Il avait de délicates attentions sur la fin. En silence, il me caressait les cheveux et posait un baiser sur mon cou avec une tendresse qui ne se voulait pas "esthétique", c'était déjà un adieu.

Les adieux, c'est ce que lui et moi avons fait de mieux.

La couverture m'étouffait, incapable de dormir, deux heures après m'être couchée, je redescendis à l'atelier toutes lumières allumées. Il n'était du reste pas tard. Je mis de la musique, pas Debussy l'impressionniste, ni le requiem de Gabriel Fauré, pour l'heure, du Mozart et sa clarté, son rythme. Je sortis d'un carton un vieux dictionnaire de la langue française toilé rouge et or que j'entrepris de coudre… Mes parents ne l'attendaient plus depuis des lustres, avaient sans doute oublié qu'un jour ils me l'avaient confié, tout comme ces trois beaux volumes que j'avais recouvert de cuir bronze pour eux et dont ce matin, "il" avait été content.

"Non-assistance à personne en danger."

Il avait si fermement arrêté mon élan quand j'avais voulu lui porter secours.

Un corps sans nom, qu'en fait-on ? La fosse commune ?

Je cousais, et de cahier en cahier, remontais tout l'alphabet. Il était une heure du matin, j'étais enfin fatiguée et le temps n'avait pas passé pour rien puisqu'un dictionnaire était relié.

Mourir, sans nom, parce qu'on ne vous a pas vu, sur un parvis de gare.

CYRANO
"D'un coup d'épée,
Frappé par un héros, tomber la pointe au cœur!"
Oui, je disais cela…, le destin est railleur!
Et voilà que je suis tué dans une embûche,
Par-derrière, par un laquais, d'un coup de bûche!
C'est très bien, j'aurai tout manqué, même ma
mort.

Dans la ruelle, quand je m'étais installée, une bonne âme avait dit : "Diplomate, ça c'était un métier! Relieuse? Quelle idée, je pensais que ce métier n'existait même plus!"

RAGUENEAU, à travers ses larmes
Je suis moucheur de… de… chandelles, chez Molière.

VI

Au matin, le mouvement de panique était passé. Le livre du fanum me mènerait aux héritiers du jeune homme mort. J'y trouverais peut-être, à force d'y travailler, un indice, un détail…

J'appelai l'hôpital. Le corps était toujours là et personne ne l'avait réclamé.

À peine avais-je raccroché que le chef de la gendarmerie de Montlaudun m'avertissait de sa visite, de la sienne ou de confrères, dans la journée. On avait retrouvé en tout et pour tout, en terme d'identité sur le mort, que ma carte de visite et mon reçu. Pourquoi ma main tremblait-elle en raccrochant? Je n'avais rien à me reprocher.

Je mis de la musique, du Bach pour le matin. Je ne voulus plus entendre que la musique et m'investis dans mon travail. Je restaurai les pages de garde du livre du fanum. Je les consolidai à la charnière d'un papier du Japon. Je les mis sous presse. On n'aurait distingué qu'à la loupe la déchirure, il n'y avait plus que moi pour la voir.

Pourquoi le livre était-il relié à l'allemande ?

Après la guerre, les Allemands n'avaient pas traîné dans la région. Peut-être s'agissait-il d'un Français rentré du Service du Travail Obligatoire après avoir appris son métier en Allemagne ? Mon voisin à Paris avait bien fait son STO dans l'imprimerie. J'optai pour cette explication.

Et cette odeur de feu ? L'été dernier encore, il y avait eu de l'autre côté de Lalande un incendie important où un pompier avait laissé la vie. Ce livre avait peut-être été relié dans le Sud-Ouest, était un rescapé d'incendie, il n'y aurait là malheureusement rien d'étonnant.

Je ne me représentais en effet pas comment ce livre aurait pu s'imprégner de cette odeur de suie autrement que par une exposition brève à des fumées épaisses et nourries. Une exposition prolongée aux fumées d'un manteau de cheminée aurait altéré en profondeur le cuir des couvertures, or ce n'était pas le cas.

Était-il un Parisien, originaire de la région ? Avait-il dans le coin une maison de famille comme beaucoup d'autres ? Personne ne s'inquiétait de lui à Paris ? Personne ne savait où il avait passé le week-end ?

Ce que j'aurais aimé le plus savoir, c'était la nature du lien entre cet homme et son livre. Pourquoi cette manière de le serrer sur sa poitrine ? Pourquoi devant moi était-il comme gêné de poser les yeux sur l'objet ? Lui qui le connaissait très bien pour en parler si précisément.

Pour qui fallait-il qu'un livre qu'il avait décidé au dernier moment de faire restaurer soit impérativement prêt dans les six jours ?

Paradoxalement, ce livre, qui à en juger par l'état de la couverture avait été trimbalé par monts et par vaux, avait été très peu ouvert. Je n'y aurais pas retrouvé dans le cas contraire ces langues de fumée intactes, ces petits cailloux noirs et toutes ces poussières.

Je ne comprenais rien.

Je devais aussi consacrer de mon temps aux "livres sages". Je pris les mesures des couvertures, des dos, et coupai les cartons. "Mesure deux fois, coupe une fois", dicton de relieur.

En pensée pourtant, c'était toujours sur l'autre que je travaillais, sur le cuir de l'arbre à recoller. Qu'est-ce qui dans l'usage que l'homme avait fait du livre avait créé ce déséquilibre entre la couverture, la structure du livre et l'intérieur ?

"*On* en prendra soin désormais."

Je travaillais, chassant de loin en loin l'idée qui m'avait frustrée d'abord : celle de sa solitude dans la mort, mais qui malgré moi, petit à petit, me séduisait : qu'on ne le réclame pas encore m'allait.

À dix heures tapantes, André, blanc, rose et rond, poussa familièrement ma porte et s'avança en sifflotant. Mon grand-père improvisait toujours, enchaînait sans s'écouter des petits airs abstraits à la file. André, lui, reprenait au vol le dernier refrain que son oreille avait enregistré à la radio enfarinée du fournil, hip-pop, disco, opérette, opéra…

Il vint poser devant mon nez un sac de papier blanc, décoré d'un moulin aux couleurs de soleil :

— Mets la main dans le sac… Croque là-dedans ma Belle… c'est encore tout chaud !

J'ai juste eu le temps de baisser la tête. Mes cheveux, "couleur de thé" disait André, firent rideaux sur ma figure et bras tendu, j'ai pointé mon pouce en l'air. Pause.

Je n'avais pas pleuré comme ça depuis la mort de mon grand-père. Comme toute conversation était devenue impossible, André est parti, la démarche mal assurée et sans siffler.

Le visage aspergé d'eau froide, j'entrepris de poser des onglets sur les premiers cahiers aux dos déchirés du livre du fanum.

André revint une heure plus tard :

— Alors il est mangé ce croissant ?

— Non, mais ça va être fait tout de suite, assieds-toi, un café ?

— Tiens, fais-moi un thé aujourd'hui… Pourquoi t'as pleuré ? Tu es fatiguée ? C'est le sort de ce garçon qui t'avait plu qui te fait peine ? Il paraît qu'on ne sait pas qui c'est ?

— Non. La gendarmerie va retrouver ses proches… Des gendarmes vont venir m'interroger…

— Pourquoi ça ?

— La seule chose qu'on a retrouvée sur lui, c'est mon nom et un reçu, il a payé pour la restauration du livre qu'il m'a laissé.

— … C'est évidemment un gars qui avait un pied-à-terre ici. On voit encore du monde de passage l'été, mais en cette saison, un lundi matin, avec un gros livre sous le bras… C'est pas un gars de passage…

— Tu veux voir le livre, enfin, les feuillets?

— Montre… Dis donc, on dirait que c'est imprimé tellement c'est beau! C'est la forêt d'ici ça!

— Vraiment, tu crois?

— Tu viens de la campagne, toi? Une forêt de ta région, tu la reconnais? À la couleur de la terre, des arbres, du relief, tu la reconnais! Je suis pas un botaniste pourtant, mais dans les forêts du coin, j'y passe et repasse depuis trente-cinq ans toutes les semaines pour les tournées, et je te dis que ce qui est dessiné là a la tournure de nos forêts d'ici.

— Il serait venu chercher ce livre, dessiné, relié, ici? Un livre qu'il aurait acheté sur une brocante?

— Je pars en tournée là, je vais demander, dans les petits villages autour, les hameaux… un chat qui passe et ils le savent… Un gaillard avec un gros livre sous le bras, à pied, ce serait bien le diable! Tu prends la voiture demain?

— Oui, si c'est possible, j'ai un rendez-vous à la mairie de Lalande.

— Tu pourras demander là-bas s'ils le connaissaient à la mairie. Tu m'as dit qu'il sentait la forêt? De Lalande à ici par les chemins au-dessus, c'est pas si loin. À quoi il ressemblait ce pauvre bougre?

— … Grand, je dirais au moins un mètre quatre-vingt-dix, carré d'épaules, cheveux mi-longs, châtains, cils très noirs, couleur d'yeux… plutôt clairs, gris peut-être, verts, de beaux traits, un grand imperméable kaki, silencieux.

— Bien. Il était bon ce croissant, même froid ?

— Oui.

— Tu perds pas l'appétit surtout, avec un boulanger de renom en face, quelle honte tu me ficherais ! Je te le pardonnerais jamais.

André parti, je recherchai ce petit dé, de ce que j'imaginais être du charbon de bois, celui que j'avais trouvé moulé dans l'épaisseur du papier et que j'avais balayé d'un revers de main la veille. Si ce petit morceau de bois calciné était d'une essence indigène, cela confirmerait l'intuition d'André à propos de la forêt et la mienne à propos de l'incendie.

Je le cherchai à quatre pattes. Il devait être tombé aux pieds de ma table de travail. Je l'y dénichai effectivement, le glissai dans une enveloppe.

Je savais qui pourrait me confirmer s'il s'agissait de bois ou non : l'horloger-bijoutier de la ruelle était équipé de toutes sortes de loupes. Ayant l'expérience des minéraux, M. Roche saurait sans doute, par défaut, identifier du bois. Je lui rendrais visite à l'heure du déjeuner.

VII

Les onglets étaient posés sur les derniers feuillets. Une fois les pages de garde restaurées, je commencerais à coudre, dès mon retour de chez M. Roche.

Je ne le dérangerais pas, il ne prenait qu'un repas par jour à dix-neuf heures et, à cette heure-ci, je le trouverais sans doute à faire sa pause au pied du gué, là où nous avions lié connaissance.

Mon enveloppe en main, je descendis la ruelle. Sa boutique était la dernière au coin à droite, deux maisons après la librairie-papeterie. Au bord de l'eau, il s'était installé un banc qu'il m'invitait à partager.

L'horloger a le sourcil soupçonneux mais cette façon qu'il a de relever le menton sur la droite d'un air attentif et patient y porte un bémol, le rend accessible.

M. Roche est soigneux, toujours rasé de près et ses maigres cheveux gominés sont plaqués sur un crâne à l'ovale parfait. Il est menu, ne porte que des chemisettes à petits carreaux sous débardeur gris en toute saison. M. Roche se moque du temps qu'il fait comme du temps qui passe quand il travaille dans son atelier, penché sur des assemblages de rouages. C'est avec eux qu'il se sent en la meilleure compagnie.

Celle des hommes, il s'en méfie. Sans le gué, jamais nous n'aurions sympathisé.

Le lieu offre un entre-deux de calme, de loisir propice à une conversation polie.

M. Roche avait goûté au compromis et en était resté traumatisé. Passionné exclusivement de mécanique de précision, sa mère l'avait poussé "à faire du bijou", à jouer au joaillier, à sertir des pierres, rétrécir des bagues, et finalement à ajouter "bijoutier" sur son enseigne. Qu'il fasse la chose, harcelé par sa mère, soit, mais qu'elle en fasse publicité !

Sa mère aimait le mouvement, entreprendre, la mode, parler aux clients. "Bijoutière", c'est cela qu'il aurait dû imposer d'écrire sur l'enseigne, car sa mère "était d'un bon avis en bijoux, elle s'y connaissait en pierres vraies comme fausses et en clients !".

"Mais que voulez-vous mademoiselle, la relation humaine, ça ne s'apprend pas, on en a le sens ou on ne l'a pas. Ma mère de cette science-là a tout gardé pour elle. Quand elle est morte, la clientèle a déserté la boutique. C'est sûr qu'avec elle j'ai perdu beaucoup."

Lui, comme son père, son grand-père avant lui, aimait l'horlogerie et le silence qui laissait tout l'espace au concert de tic-tac dont lui seul discernait les infimes nuances. Tout le reste lui semblait cacophonie.

Sa boutique, rouge et noire, rouge bruni et noir grisé, décorée au début des années soixante-dix par sa mère vieillissante mais entêtée, allait finir par redevenir à la mode s'il ne se méfiait pas. Il était pour l'heure encore à l'abri d'un tel revers et vivo-tait d'une clientèle fidèle et rare, celle qui baptisait, faisait faire la communion solennelle et mariait encore ses enfants.

"Ne vous moquez pas mademoiselle, il n'y a pas que la décoration de maman qui revienne à la mode, ces traditions-là aussi, à défaut d'autre chose…"

Il vendait donc gourmettes, bracelets, croix, alliances, bagues de fiançailles et quelques bricoles, des fantaisies qui ne se vendaient pas du tout.

C'est vrai qu'acheter de la fantaisie chez M. Roche, qui y songerait ?

D'André, auprès duquel je m'étonnais qu'il y ait tant de célibataires dans la ruelle, j'avais appris que M. Roche avait été, dans sa jeunesse, fiancé à l'épicière mais qu'il avait reculé devant l'omniprésence de la sœur de celle-ci, la "dérangée", qui les suivait partout comme une ombre.

Tout le suc de sa vie résidait dans les visites de collectionneurs qui lui apportaient leurs trouvailles à réparer : "De vraies montres, de vraies horloges, mademoiselle, celles pour qui cela vaut le coup de fabriquer des pièces sur mesure, de se plonger dans les ouvrages d'horlogerie pour mieux comprendre les particularités de ce mécanisme-là. J'ai des dizaines d'ouvrages sur la question et il ne se passe pas un jour sans que j'en consulte un. Eh bien après toutes ces années, j'apprends encore."

M. Roche attendait la retraite, l'année suivante, pour, sans craindre les foudres *post mortem* de sa mère, tirer le rideau de cette boutique moribonde et se consacrer uniquement à son art pour le temps qui lui resterait. Il avait cru ne pas atteindre cet âge d'or, quand un an environ avant mon arrivée à Montlaudun, il avait eu un accident cardiaque. Son cœur marchait depuis des années au ralenti à son insu. Il avait besoin d'être soutenu, on l'avait doté d'un stimulateur cardiaque : "La batterie marche au lithium, c'est un comble pour un horloger de la vieille école."

"On parle de spécialisation et on voudrait que je m'éparpille à vendre de la pacotille ! Ce monde est inconséquent, je préfère m'en passer."

Il s'agitait au bord de l'eau : "Je ne suis pas un vendeur de piles au lithium, n'en déplaise à mon stimulateur cardiaque. Aujourd'hui, on vient me demander d'ouvrir un boîtier de montre, de poser la pile et de refermer. Mais le plus rageant est que cette opération débile demeure délicate car ces boîtiers sont tellement mal conçus, que vous risquez de casser le verre ! Et c'est le pauvre horloger qui se trouve aux yeux du client responsable de cette incurie : double honte…"

Avec des airs de conspirateur, M. Roche dit : "Mademoiselle, la mécanique d'horlogerie est au temps ce qu'une bonne pâte à papier est à la mémoire… Vous savez, leurs petits alliages dans leurs puces électroniques, dans les montres, les ordinateurs… Leur durée de vie ? Le temps d'un claquement de doigt, ça s'érode en un rien de temps, c'est un collectionneur de vieilles montres, informaticien de son état qui me l'a confié, on accumule des masses d'informations colossales sur des supports qui fondent quasiment à vue d'œil…"

Ce mardi-là, il n'était pas à fumer sa pipe au pied du gué. Je poussai la porte de la boutique, rouge et noire, plastifiée et mate, aussi glauque qu'une discothèque privée de ses jeux de lumière.

Il ne tarda pas à émerger de son atelier, les yeux braqués sur une petite roue crantée à trous. Il arborait ces lunettes extraordinaires, sur lesquelles étaient montées des loupes d'horloger à pinces, en l'occurrence relevées verticalement au-dessus de son front, lui donnant l'air d'un hanneton, ou de sortir tout droit d'un film de science-fiction.

Dès qu'il me vit, il ôta ses lunettes et je pus le saluer sans grimacer de rire.

J'avais vu qu'il était soulagé que ce fût moi plutôt que quelqu'un d'autre, je l'avais vu à ses yeux que ce petit homme étriqué avait beaux.

Mon enveloppe en main, je lui expliquai que je cherchais à identifier un petit bout de rien trouvé dans un livre qui empestait la suie, que mon idée était que ce livre avait échappé à un incendie.

— Oh mon Dieu, un incendie !
— C'était il y a des années monsieur Roche, les cendres sont froides depuis longtemps.

J'aurais voulu qu'il me confirme que cette petite chose dure et noire n'était pas minérale. Si cette chose, que sortie de l'enveloppe je lui montrai maintenant, était du bois, je le ferais analyser.

— Vous avez des loupes, monsieur Roche, et l'habitude des métaux et des pierres. Si c'est du bois, par contraste, vous sauriez le reconnaître ?

— Mais sans doute, venez, entrez… C'est un peu en désordre… Voilà, entrez… des loupes… j'en ai beaucoup… des loupes d'horloger, elles conviennent parfaitement à une inspection rapide, montrez-moi la taille de ce… non, excusez-moi je vais rechausser mes lunettes-loupes un instant… Voyons… Oh mon Dieu, un incendie… Oui, ça m'a tout à fait l'air d'être du bois, ce n'est en tout cas ni du minéral, ni du métal, c'est bien la structure du bois, regardez vous-même, asseyez-vous et prenez mon microscope de poche au filtre bleu, très agréable… c'est parfait pour observer la surface des minéraux, des fossiles. Il grossit trente fois, c'est intéressant, regardez… faites la mise au point avec le bouton…

J'observai un enchevêtrement de matière fibreuse.

— Comment s'appelle le spécialiste qui analyse le charbon de bois monsieur Roche ? Il doit y en avoir à Bordeaux… un petit cube de presque cinq millimètres de côté, cela devrait suffire pour être analysé ?

— Très certainement. Tenez…

Je remis le petit dé de bois calciné dans son enveloppe.

J'observai M. Roche se mouvoir dans la bulle de son atelier que je découvrais. Il ne demanderait pas pourquoi cet intérêt pour l'espèce de bois qui se cachait derrière le dé. Je fus donc surprise de cette question personnelle, posée à brûle-pourpoint :

— … Vous avez quel âge mademoiselle ?

— Vingt-huit ans.

— Ah… Bravo, bravo !

— J'ai bien peu de mérite monsieur Roche !

Il rit, un peu gêné.

Je l'aidai :

— Je suis fascinée par vos outils et surtout par ces petites roues crantées, une montre n'est faite que de ça ?

— Les anciennes, de leur assemblage, oui, et d'un seul mouvement qui se perpétue. Une montre mécanique contient entre 130 et 150 pièces, une montre simple bien sûr.

— Il ne faut pas trembler.

— Je n'ai jamais tremblé…

Au-delà de l'infinité de rouages, qui s'étalaient sur la grande table de travail, compartimentés dans de petites boîtes rondes elles aussi, trônaient deux horloges aux décors spectaculaires. L'une était haute d'au moins cinquante centimètres, en céramique bleue et blanche, la seconde un peu plus basse, de marbre noir, représentait deux femmes drapées, enlacées autour du cercle d'un cadran.

— Vous avez deux horloges superbes ici !

— L'enveloppe ne m'intéresse pas beaucoup, mais quelle mécanique !—Ah ! L'âge d'or de la mécanique ! C'est fini, ça durait depuis, allez… trois siècles ? On y reviendra peut-être, parce que c'est optimiste la mécanique mademoiselle. C'est l'homme dans un univers immense mais à sa portée, à sa portée physique… aujourd'hui les progrès se font dans un monde immatériel, invisible, le gène, l'atome, les trous noirs… Alors, la mesure de mon œil, le savoir-faire de ma main, même magnifiés un millier de fois par l'outil conçu, construit, sont ridiculisés à l'infini. Dans les temps anciens, troublés d'ignorance, on était aveugle avec des yeux de vingt ans. Aujourd'hui on va le redevenir de voir trop loin dans l'infiniment petit et l'infiniment grand. Je suis un mécanicien dépassé, un horloger en retard… Les piles au lithium et les oscillations atomiques se passent bien de moi… Je reconnais qu'elle est passionnante cette aventure, qu'elle ne peut que suivre son cours, qu'elle le doit, mais ce sera sans moi.

— … J'ai changé de vie pour cela je crois, en partie : pour utiliser des outils que je comprends, des outils à ma mesure, pour gager l'effet de mes actes, de mes gestes.

— Ce qui ne veut pas dire qu'ils soient simples à utiliser d'ailleurs, ces vieux outils, n'est-ce pas ?

— Non, il n'y a pas de bouton sur lequel appuyer, ils ont été bien pensés mais il faut les faire à sa main. Dans celle d'un profane, ils ne servent à rien. Bien. Je dois retourner travailler ! Merci d'avoir confirmé que ce petit bout de rien noirci était du bois. Je vais essayer de trouver un spécialiste qui pourra j'espère en définir l'essence. Merci beaucoup.

— Non, merci à vous d'être venue mademoiselle.

— Peut-être voudriez-vous venir découvrir mon atelier, mes outils ?

— Certainement. Je viendrai. Merci mademoiselle…

Sur le seuil de sa boutique comme je m'éloignais,
l'horloger me fit un petit geste enfantin de la main.

Que de solitude dans cette ruelle, que de solitude.

CYRANO
Oh ! Je ne me fais pas d'illusion ! – Parbleu,
Oui, quelquefois, je m'attendris, dans le soir bleu ;
J'entre en quelques jardins où le soir se parfume ;
Avec mon pauvre grand diable de nez je hume
L'avril, – je suis des yeux, sous un rayon d'argent,
Au bras d'un cavalier, quelque femme, en songeant
Que pour marcher, à petits pas dans la lune,
Aussi moi j'aimerais au bras en avoir une.

VIII

Il me fallut peu de temps pour trouver le nom d'une anthracologue, spécialiste de l'analyse et de la datation du bois, à Bordeaux. Je l'appelai aussitôt et inventai l'histoire de l'incendie d'une maison de famille, je lui dis que je voulais replanter des arbres… Elle me demanda la taille de l'échantillon, avant de m'assurer qu'elle passait la journée de samedi au labo et qu'elle pouvait m'y recevoir ce jour-là.

J'aurais le résultat aussitôt. Il n'en restait pas moins que je devrais attendre quatre jours avant de le connaître. Je plaçai l'enveloppe renfermant le dé de bois près de la liste de noms trouvée sur le dos du livre du fanum.

Je sortis les pages de garde, bleues, brique et ocre de la presse, les joignis au bloc de feuillets et consacrai l'après-midi à la couture du livre de mon lieu de culte gallo-romain. J'avais hâte que ce livre fragmenté retrouve son intégrité physique, comme si "son" repos pouvait en dépendre.

En milieu d'après-midi, deux gendarmes interrompirent mon travail :

— L'hôpital nous a fait part de votre visite et de votre intérêt pour le monsieur qui a été tué sur la voie publique, devant la gare, hier matin et il se trouve que les seules choses qu'on ait retrouvées sur lui sont votre carte de visite et votre reçu datés du matin même de l'accident. Que savez-vous de cet homme ? Connaissez-vous son nom ?

— Non. Il ne s'est pas présenté. Il m'a apporté un livre à restaurer. Je ne l'avais jamais vu auparavant. Il devait passer reprendre le livre ce week-end, c'était notre accord.

— Quel genre d'homme c'était ?

— …

— Un vagabond ?

— Non… Mais c'était quelqu'un qui je crois avait l'habitude de la solitude. Il était fatigué, ne prenait pas soin de sa santé. Je sais qu'il prenait le train pour Paris… Il n'avait vraiment aucun papier sur lui ? Un vieux billet de train ? Une carte bancaire ? De l'argent ?

— Oui, uniquement de l'argent, une cinquantaine d'euros en pièces et petites coupures à même la poche et votre carte. Une enquête est ouverte car il faut d'abord établir la réalité de l'homicide involontaire, ce qui semble être le cas, le chauffeur est effondré.

— … Personne ne s'inquiète de l'absence du mort ?

— Personne ne s'est inquiété de lui à part vous, on a donné son signalement… C'était un Français ?

— Francophone en tout cas, pas d'accent particulier… Son décès est déjà enregistré à la mairie ?

— Oui.

— Si personne ne se déclarait, il serait inhumé
quand ?

— Dans un délai de dix jours maximum après le
décès, donc jeudi prochain, l'hôpital fera procéder à
l'inhumation dans les conditions compatibles avec
l'avoir laissé par le défunt.

— Cinquante euros ?

— Oui… On appliquera les dispositions concernant les indigents.

— C'est-à-dire ?

— Service minimum… Ce qu'il vous a laissé à
restaurer a de la valeur ?

— Je ne sais pas.

— Comment ça ?

— C'est un livre de croquis au crayon et d'aquarelles, un exemplaire unique qui n'est pas passé par
une imprimerie. Ce n'est pas signé. Il n'y a pas de
titre non plus. À moins que l'on ne découvre que ce
livre a été dessiné par un grand artiste répertorié, il
ne vaut rien en argent trébuchant.

— En tout cas, grosse valeur ou pas, pour les personnes décédées au sein de l'hôpital et traitées gra-
tuitement, prises en charge à la morgue, prises en
charge pour ce qui est des funérailles : leurs effets
appartiennent de droit à l'Assistance publique. Mais
bon, la famille a encore largement le temps de réagir !

— … Au cas où la famille ne le réclame pas,
est-ce qu'on peut racheter ces effets à l'Assistance
publique ?

— Oui, ça doit pouvoir se faire, il y a des ventes publiques qui sont organisées, il y a un délai d'un an je crois avant qu'une vente soit possible, pour laisser le temps à la famille…

— Bien sûr… Vous me préviendrez si quelqu'un réclame le corps… À cause du livre… il faut que je le restaure, vous ne pouvez pas l'emmener comme ça…

— D'accord. Je note. On vous tient au courant.

"D'accord." J'avais repris le fil de ma couture, je ne pensais plus ou pensais à "lui". Je cousais. Une heure plus tard, c'est le maire de Montlaudun, M. Claverie, qui entra à l'atelier. Il entra chez moi, comme il entrait à la mairie, comme il entrait partout dans la commune, à grandes enjambées, en *gentleman-farmer* qui visite ses terres.

Il pénétra dans mon espace de travail, franchissant cette limite suggérée par mon long comptoir de marchande, limite que même André, mon ami, ne passait jamais.

— Bonjour, comment vas-tu ? Je me languissais… J'ai croisé les gendarmes, ils m'ont fait leur petit rapport… L'enquête est ouverte. Pauvre Raymond… Raymond, c'est le chauffeur, il est sonné ! L'enquête, pour ce qui le concerne, n'est qu'une formalité… Il était dans son droit à passer là… C'est moche, un jeune ! Mais un type louche quand même, se balader sans papier, quelle idée… On va être vite fixé, ça va remonter à Paris… C'est son livre là que tu es en train de coudre ?

Il s'approcha encore plus prêt jusqu'à me frôler, je fis un écart. Il resta penché au-dessus de moi prétendant me regarder travailler, je sentais son souffle chaud dans mes cheveux. Ne le supportant plus, j'allais me lever, prétexter d'aller chercher n'importe quoi, mais c'est lui qui le premier eut un mouvement de recul.

— Ah! Dis donc…

— Qu'est-ce qui vous étonne?

— Qu'est-ce que c'est ce papier, là?

Il désignait le quart de feuille ligné et jauni, couché sous sa boule de verre presse-papiers qui faisait loupe sur la colonne de noms trouvée au dos du livre du fanum.

— Ce papier a coulé du dos du livre quand je l'ai désossé… Je ne sais pas ce que c'est mais je le garde précieusement, c'est la règle… je le remettrai aux héritiers avec le livre restauré.

Lui, violent, grossier :

— C'est indécent, cette… manie, cette mode dégénérée de mettre au musée tout et n'importe quoi sous prétexte que ça appartient au passé… mais fais le ménage! Tu devrais foutre ça en l'air, un petit brouillon gribouillé comme une liste de courses… Préserver! Sous prétexte que c'est vieux, quelle connerie!

— Mais je vous en prie! Calmez-vous! Ce papier fait partie du livre, ce n'est pas à moi de…

Et toujours assise, je me retournai vers lui. Il était écarlate d'une colère que cet homme habitué à l'impunité n'était pas accoutumé à rentrer, une veine grosse comme un petit doigt barrait son front dans sa longueur. Il me fit peur.

— Je te laisse travailler! Allez, bonne journée!

La porte de l'atelier claqua. Je fus étonnée que le verre ne se fracasse pas.

Je dus abandonner mon ouvrage pendant quelques minutes, le temps de me remettre.

Je me rappelais les mots d'André qui guettait mon retour, ce jour où j'étais pour la première fois allée à la mairie parce que M. Claverie m'avait sommé de m'y rendre.

— Tiens ma belle, tes parents m'ont remis le double de tes clés. Ils sont partis juste après toi finalement. Ils t'appellent dès qu'ils sont arrivés... ce soir tard... Avant de partir, ton père a raboté là-bas un tiroir, celui tout en bas à gauche, celui des fers à dorer en forme de croix... Alors qu'est-ce qu'on t'a vendu à la mairie de M. Claverie?

— Ma promotion!

— Ça manque pas d'air ça : une promotion... Laisse un peu de temps passer avant de lui repayer une visite à ce grimacier... Moi je n'ai que mon instinct face à ce tordu que je n'ai jamais pu encadrer et un petit mille-feuille d'histoires que des gens de bien m'ont racontées. Gisèle elle le connaît, de première main. Elle a pratiqué le sournois. Ils allaient au catéchisme ensemble, tour à tour onctueux, à faire des coups en douce, à monter celui-là contre Untel, à se faire faire les devoirs de catéchisme par les autres en leur promettant des douceurs dont il avait toujours plein les poches... Tu sais ce que c'est la famille Claverie ici? Est-ce que tu le sais, innocente de la ville? Gros paysans, puis marchands de grains et de bétail, puis plus gros propriétaires de terres et de bois de la région, puis plus gros propriétaires immobiliers de la ville… Pourquoi tu crois, innocente, que les taxes foncières restent si basses ? M. Claverie grand-père, maire de Montlaudun, M. Claverie père, maire de Montlaudun, Claverie le pharmacien, maire de Montlaudun. Il semble enfin qu'il ait réussi à faire des enfants moins cons que lui qui ne veulent pas entendre parler de la mairie… Allez je m'échauffe, si j'allais nous chercher deux petites quiches, tu sais, rousses mes quiches, ni blondes ni brunes, rousses. Sors le porto.

Il avait traversé la ruelle en se dandinant jusqu'à la boutique où sa femme tendait les dernières baguettes à deux enfants et à une vieille dame. Je le vis passer sur la pointe des pieds de l'autre côté du présentoir. Sous le regard blasé de sa femme, amusé des enfants et de la vieille, André avait mis un doigt devant sa bouche comme s'il volait en grand secret quelques bijoux précieux et les deux dernières quiches du jour dans chaque main il était revenu tout droit à l'atelier de reliure dont la porte était restée ouverte.

J'avais servi le porto. André avait coupé les quiches en dés et les avait arrangés sur un plateau. Puis il avait repris sa place, devant ma table de marchande. J'avais repris la mienne, derrière, et m'étais apprêtée à savourer le mets et la suite de son monologue.

— Bon, j'en étais… Oui… Il y a tellement de gens qui, de cette génération ou de cette autre, leur doivent quelque chose à la famille Claverie… Oh pas grand-chose, car j'ai dans l'idée que ces gens manquant de cœur n'ont jamais donné que ce qui leur coûtait peu d'obtenir. Mais ils donnaient, juste assez, pour se garantir une reconnaissance. Tout le pays est noyauté, du stage de la fille au boulot d'été du garçon, de l'appartement à loyer modéré pour le petit à la subvention pour l'usine à boulons. Ses contacts au conseil général, au régional, les amitiés du député, de madame l'épouse de monsieur le sénateur… Il drague tout ça à lui. Les grands-mères en sont folles : "Oh tout de même ce M. Claverie, qu'est-ce qu'il est gentil, qu'est-ce qu'il cause bien, et si simple !" Il y en a de ces mémés qui sont tellement vieilles qu'elles ne savent plus si c'est Claverie fils ou Claverie père dont elles parlent… Je m'échauffe, encore un peu de porto, ma fille.

Tout en le resservant je lui avais demandé :

— Une chose m'étonne, André, c'est qu'il ne soit pas lui-même député. Le père ne l'a pas été, lui non plus ?

— Mais que dis-tu, belle rousse ? Député le père ? C'est vrai qu'il avait plus de carrure que son fils… mais pendant la guerre, il avait trempé dans trop d'histoires pour ne pas craindre les remous qui secouent une campagne législative. Quant à son rejeton, il n'en a pas la ressource, c'est une petite frappe… Le pire c'est qu'il aurait ses chances ce minable, mais il a trop peur de prendre le risque et de se planter, et sa réputation ! C'est qu'il s'en fait une haute idée de sa réputation, de son image ! Il a raison, il n'a que ça et les faveurs qu'il octroie… Non, risquer une élection législative, convaincre au-delà de la commune et de ceux qui lui sont redevables : impossible, il préfère que les crédules s'étonnent encore de ce qu'il ne se présente pas, comme ça on peut dire : "Mais quelle humilité vraiment ce M. Claverie !" Il est sûr de lui parce que sa famille a un passé, parce qu'il est riche à en pleurer, il n'est plein que de son importance, mais il est creux et sucré… comme un donut de supermarché !

Détendue, amusée par le souvenir du réquisitoire d'André contre monsieur le maire, je repris le fil de mon ouvrage. Rien ne m'interrompit plus et, en milieu de soirée, la couture du livre du fanum était terminée. Je plaçai le bloc cousu entre deux ais de bois avant de le mettre sous presse. Il me semblait que j'étais moins triste.

J'allais monter me coucher, pour penser à "lui" et à tout ce qui aurait pu advenir.

Je tressaillis quand le téléphone sonna. C'était ma mère. Ce fut difficile de lui parler de tout et de rien. Si je lui avais dit que j'étais en deuil d'un homme dont je ne connaissais pas le nom et dont j'étais pourtant pour l'instant la seule héritière, elle m'aurait dit : "Ma chère fille, tu es comme ton grand-père, tu attends toujours de la vie des choses extraordinaires."

Avant de monter, je résolus de faire une chose encore. Je sortis le bloc cousu de la presse, j'encollai son dos, posai les tranchefiles, la mousseline, et utilisai pour la manche d'air du papier bible. Je le replaçai sous presse entre deux ais pour attelles.

Je rappelai l'hôpital. La réceptionniste de la veille avait repris sa place. Vérification faite, le grand corps était toujours à la morgue et personne ne l'avait réclamé. Je montai enfin me coucher.

Le lendemain, mercredi, je serais sur les routes une partie de la journée. En rentrant, je m'occuperais des livres sages, préparerais les caractères à imprimer et restaurerais les couvertures du livre du fanum.

Cette nuit-là, je rêvai. Un de ces rêves m'est resté. Je m'y vois relier énergiquement, côte à côte avec mon grand-père, puis nous arrêter soudainement d'un accord tacite. Sans transition, mystérieusement transportés au bord d'une rivière, nous pêchons le goujon. Mon grand-père me dit que l'eau est trop pure, nous n'attraperons rien. Pourtant, tendus par l'attente, nous restons à regarder flotter nos bouchons dans le courant, à l'ombre de grands arbres.

Le soir avant d'éteindre la lumière j'avais lu :

CYRANO
Travailler sans souci de gloire ou de fortune
À tel voyage auquel on pense, dans la lune !
N'écrire jamais rien qui de soi ne sortît,
Et modeste d'ailleurs, se dire : mon petit,
Sois satisfait des fleurs, des fruits, même des feuilles
Si c'est dans ton jardin que tu les cueilles !
Puis s'il advient d'un peu triompher, par hasard,
Ne pas être obligé d'en rien rendre à César,

Vis-à-vis de soi-même en garder le mérite.
Bref, dédaignant d'être le lierre parasite,
Lors même qu'on n'est pas le chêne ou le tilleul,
Ne pas monter bien haut peut-être, mais tout seul !

IX

Le lendemain matin, je cherchai sur Internet les coordonnées, à Bordeaux, d'un archéologue, d'un historien spécialiste de l'architecture ou de l'époque romaine.

Que souhaitais-je apprendre ? Pendant la nuit, je m'étais dit que si la forêt était vraie, pourquoi pas le site ? Je voulais montrer "son" trésor, entendre des professionnels réagir. Je voulais qu'on me dise si historiquement ce lieu dépeint était crédible. Je voulais m'occuper du livre. De "lui", je ne le pouvais plus, j'avais irrémédiablement laissé passer ma chance.

Je trouvai les références d'un homme qui travaillait pour l'Institut national de recherches archéologiques préventives, responsable d'un site découvert à Bordeaux lors de la construction d'un parking. Il était sur le chantier et un interlocuteur me dit qu'il ne pouvait pas me communiquer son numéro de téléphone. J'obtins tout de même l'adresse des fouilles, derrière la cathédrale. Samedi, j'irais.

Et si cette représentation de lieu de culte gallo-romain, ce fanum, était de fantaisie, il n'en resterait pas moins que les dessins, les aquarelles étaient beaux : je trouverais ensuite à le montrer à des artistes qui confirmeraient leur qualité, se rappelleraient peut-être d'un artiste local…

Je n'appelai pas l'hôpital, décidai d'attendre d'être rentrée de ma visite à Lalande.

André vint m'apporter les clés de la camionnette et un sac de viennoiseries sans le double du ticket à l'intérieur.

— Je ne paie pas aujourd'hui ?

— Non, j'ai décidé que tu ne paierais pas les mercredis où tu prends la camionnette. Quand tu roules avec, tu me fais de la publicité gratuite à te déplacer par des routes où elle ne va pas normalement.

— Ah, c'est vrai !

— Ben tiens ! Et tu verras, j'ai fait repeindre l'adresse, avec des belles lettres liées.

Je marchai jusqu'à mon bureau, jusqu'au presse-papiers :

— … André, tu veux bien jeter un œil à cette liste ? Regarde…

— C'est des noms d'ici ça, tous à part un ou deux que je ne connais pas… "Mangeon", "Segnac", "Lucas", c'est le nom de famille de notre cordonnier favori : Sébastien…

— Qu'est-ce que ça veut dire…

— Où tu as trouvé ça ?

— Au dos du livre…

— Quand je te disais que c'est des arbres d'ici…

— … Et le dernier nom gribouillé au bas ?

— C'est illisible… montre ça à Sébastien…

— Tu as appris d'autres choses ?

— Non, je serais venu te le dire tout de suite en rentrant. Il y a peut-être une piste quand même. La description du gars n'a convaincu personne. Par contre, il y a un lieu où il passe beaucoup de monde, c'est de là qu'il pourrait venir. Le hameau le plus isolé là-haut s'appelle La Montagne. Sur la grande route vers Lalande, là où la forêt commence à être bien dense, tu verras un panneau sur la droite. En bout de liste, tu verras écrit : La Montagne. Tu montes, toujours tout droit, tu vas traverser deux hameaux avant d'arriver là-haut. Une fois à La Montagne, tu suis une sente jusqu'à un cul-de-sac, tu tomberas sur une grande clairière, tu seras au moulin. Il y a une bâtisse et une tour sans aile. Il a été racheté, il y a peut-être trente ans par des Parisiens, il doit y avoir trois ou quatre propriétaires. Eux, la famille, les copains des copains, peuvent y venir passer le week-end ou l'été, chacun paie une petite somme pour l'entretien, quoi. Évidemment là-haut, les gens disent que ça fait beaucoup la fête tout ça, ça danse, chante, fume un peu de tout, boit beaucoup et ce qui va avec, tu me suis ?

— Ils ne mangent pas de pain ces gens-là ?

— Si, mais ils vont l'acheter à Lalande les malheureux ! Ils ont pris un mauvais pli dès le début… ! Va donc voir à la boulangerie là-bas. Parce que tu vois, ce moulin, qui appartient à tout le monde et à personne, c'est un bon endroit pour rester incognito en campagne. Ceux qui viennent irrégulièrement là sont souvent en groupe ou bien, s'ils se baladent tout seul en forêt, personne ne relève trop, c'est encore "un du moulin". Et puis, à pied par la forêt, jusqu'à la gare, c'est pas loin. Tu me disais qu'il sentait le bois à plein nez ! Suis mon conseil, va donc faire un tour là-haut. Il y a encore trois maisons habitées. Il y a un couple de retraités, des gens de Bordeaux et puis une grand-mère toute seule.

— Ah, des gens de Bordeaux ?

Un particulier passa m'apporter de vieilles éditions d'une série de livres sur le droit privé du littoral français, italien et yougoslave. C'était un juriste retraité, courtois. André s'était rangé dans un coin, à côté du perroquet, les mains sages croisées sur son ventre rebondi.

André, le client parti :

— Alors c'est donc bien vrai ! Tu as des clients en chair et en os !

— André !

— … Tu prends cher dis donc ! Il faut que j'en vende moi des baguettes pour un livre que tu rebaptises ! Tu vois le problème de base ma fille… tu pourrais avoir la queue jusqu'au gué, je comprendrai jamais pourquoi une belle fille comme toi, éduquée jusque-là…! est venue s'enterrer à Montlaudun – pour mon plus grand plaisir – au lieu de voyager dans le monde, pleine aux as, de cocktails en petits-fours ! Personnellement, c'est juteux : une diplomate qui fait les tournées dans ma camionnette, je ne m'en lasse pas !

— T'es vraiment un ami, si un jour il me venait l'idée d'oublier que je suis là par choix et que j'aie

pu me tromper, je sais que je peux compter sur toi
pour me le rappeler !

Le téléphone sonna.

André :

— Quelle cohue !

C'était la secrétaire de mairie de Montlaudun.
Elle annulait le rendez-vous pris la semaine précé-
dente. Je devais enfin passer pour établir un devis
sur des archives communales…

Moi :

— Convenons d'une autre date.

— Pas pour l'instant. Le conseil municipal réflé-
chit à une autre solution. Merci. Au revoir mademoiselle.

André :

— Tu en fais une tête.

— Je ne travaillerai pas pour la mairie de Montlaudun, c'est un comble. Je n'avais pas insisté…
j'avais proposé mes services comme je l'ai fait dans
beaucoup d'autres communes et Claverie s'était
répandu en "bien sûr". Le conseil municipal a rejeté
l'idée…

— Le conseil municipal qui rejette une idée de
Claverie… C'est curieux.

Passé les cahots houleux des pavés, le gué, le
froufrou de l'eau et les dernières maisons de la ville,
la forêt se dressait déjà, dense. C'était le 1er octobre,
il faisait beau et très doux.

J'avais intronisé un mercredi sur deux jour de prospection et de livraison. Je me rendais, rendez-vous pris, dans les mairies de la région pour présenter mon travail. Cette démarche des six derniers mois commençait à payer, les mairies, quand elles ne requéraient pas directement mes services, assuraient le relais vers les particuliers.

Restaurer des archives municipales sera sans doute la part la plus régulière de mes revenus. La mode est à la préservation de la mémoire. Les associations et les mairies rivalisent d'énergie pour mettre en scène ce qu'ils imaginent du passé de leur village. La part silencieuse qui me revient, le plus loin possible des "sons et lumières" des fêtes patronales, est la reliure des archives. Je collectionne, couds, habille, fabrique les boîtes où mettre les registres reliés que je transporte dans la fourgonnette qui sent bon la farine et le pain chaud.

Cette deux-chevaux fourgonnette, c'est le bon point de ces mercredis. André la bichonne, elle ne sert qu'aux tournées. Ce n'est pas une voiture, c'est un bateau, un tapis de guimauve. La suspension élastique est relayée par les rebonds des mini-trampolinos que sont les sièges et rien ne vaut ce levier de vitesse horizontal à grosse pomme qu'on empoigne. La deux-chevaux fourgonnette est sans prétention, elle ne tient pas très bien la route, est même toujours prête à s'en échapper pour un oui, pour un non. Elle admet tout de sa peine dans les côtes, elle ne mord pas le bitume, n'accroche pas dans les virages et toujours, elle ondule. Elle me berce aussi bien que celle de mon grand-père, où je m'endormais à l'arrière au milieu des cannes à pêche, sur une couverture, entre la glacière et mon ballon rouge.

Au début de ces tournées de livres, en passant par certains hameaux, les gens pensaient qu'André avait oublié un client la veille, s'étonnaient et resaluaient la camionnette, puis voyant leur méprise, pensaient que leur boulanger avait embauché un apprenti.

Par André, les gens ont vite su. Ils nous saluent toutes deux maintenant, la deux-chevaux et moi. Je réponds au nom d'André, au signe amical et familier du passant, je klaxonne, je souris, je fais un signe complice de la main sans la leur avoir jamais serrée.

Je lis à haute voix parfois, tandis que je couds les cahiers entre eux, les noms d'enfants, de femmes et d'hommes, "né à… mort à…", ancêtres peut-être de ceux que je salue ces mercredis-là. Je traverse des villages dont le nom court à travers tous ces livres qui tanguent dans mon dos au lieu du pain.

Je repérai sur ma droite le panneau où le hameau La Montagne, au bas de quatre ou cinq autres, était indiqué. Au retour, j'y passerai.

Je respirais avec le ventre l'air chargé d'humus et de "vert" qui s'engouffrait dans mes cheveux par le volet tiré de la vitre. Dans mon dos, à l'arrière de la fourgonnette, le vent retombait, s'endormait après avoir joué à soulever des odeurs de farine et de levain.

C'était de boire trop d'air frais, j'avais envie de rire, loin de ma maison moyenâgeuse en alambic et de son atelier aux relents de peinture fraîche.

Par enchantement, j'arrivai à Lalande. J'eus à peine le temps de me dégriser que j'étais garée le long de la cour de l'école primaire, en face de la mairie.

Drôle de boulangère que les enfants en récréation virent sortir de sa camionnette décorée d'un moulin de contes. Quelques petites filles interrompirent leurs jeux pour me regarder recoiffer à la sauvette ces cheveux longs, ondulés et cuivrés qui sont les miens et dont on s'étonne. Je les ai souvent coupés, mais ils repoussent si vite. Je torsadai la gerbe de mes cheveux et les fixai au-dessus de ma nuque avant de tirer de l'arrière de la camionnette une cagette de registres.

Un gros ballon rouge vola au-dessus des grilles, suivi d'une parabole de cris d'enfants qui culminèrent au-dessus de ma tête. Je posai la cagette à terre et courus sous les hourras des petits rattraper ce ballon qui s'échappait.

Au secrétariat de la mairie, Marie-Line, chevelure mise en plissée blond paille, la quarantaine aimable, m'accueillit avec l'accent et sa gourmette de communiante au poignet. Elle était malade la dernière fois que j'étais passée, nous ne connaissions que nos voix. Mais je l'aurais reconnue.

— Dites donc c'est beau ce que vous avez fait ! Ça se ressemble plus… ! C'est le maire qui va être content ! On en a plein, on va vous en redonner, vous repartirez pas à vide !

— Vous avez préparé ce que vous souhaitez me faire relier ?

— Oui, c'est prêt, j'ai tout préparé avant le cours d'anglais parce qu'après, ouououou… Ils ont pas de vraies consonnes ces gens-là… Pouffff, allez faire la part des mots dans cette bouillie, après j'ai la tête lourde… ! C'est là, je vous allume, entrez, voilà, je vous apporte un petit café hein ?

— Oui, c'est gentil, merci.

— Monsieur le maire va arriver, ne vous inquiétez pas !

— Mais je ne m'inquiète pas du tout.

Je connais déjà la petite pièce de vingt mètres carrés au gros néon austère qui éclaire des étagères métalliques, dans une pièce bien aérée, à l'hygrométrie mesurée… Sur le seuil de cette "chambre froide", la secrétaire de mairie, jolie comme un bonbon, dans sa jupe étroite rouge tomate et son petit jersey blanc, fit demi-tour du haut de ses talons aiguilles et de ses jambes blanches et marbrées. "Ma dame lampion" me revint à tout petits pas pour ne rien perdre du bon café chaud qu'elle venait m'offrir.

— Bon, faut rien baver, c'est pire que l'église ici !

— Je vais faire de mon mieux, c'est vrai que vous avez fait les choses bien !

— Ah oui, vous pouvez le dire ! Les travaux sont enfin terminés ! Tout tout tout neuf pour vos nouvelles reliures… Et puis si je classe pas selon leur nomenclature je vais me faire taper sur les doigts, tout est surveillé d'en haut ici, et avant 1945 ceci et après 1945 cela, et avant 1790 et après 1970, ouououou, à tourner chèvre, y aurait eu que moi, les archives départementales auraient bien pu prendre tout ça sauf votre respect mademoiselle. Mademoiselle ou madame ?

— Mademoiselle.

— Ah… !? Vous êtes bien installée à Montlaudun ?

— Oui.

Petite moue de dégoût en forme d'excuse.

— C'est petit hein ? Encore plus petit que Lalande… Pourtant c'est vous qui avez la gare, vous avez de la chance…

— … Oui.

— Pour quelqu'un qui vient de Paris, ça doit faire drôle quand même… ! Enfin vous avez vos raisons hein. Moi ça me regarde pas. Bon, il faut que je vous laisse, j'ai un jeune couple qui m'attend pour publier les bans. Vous voyez la pile de registres au coin de la table ? Avec les dos cassés ? C'est tout pour vous. Ça remonte aux années vingt. Jusque-là, j'arrive encore à lire. Mais les plus vieux, d'avant la Révolution… C'est joli comme écriture remarquez ! Mais je n'y ai rien compris, j'ai même pas pu reconnaître mon nom de famille ! Pourtant on est du coin depuis des lustres ! Pour curiosité : vous savez pour qui on travaille le plus dans nos mairies ? Eh bien je vais vous le dire : pour les gens qui font des recherches de généalogie, déjà qu'en règle générale on est toujours planté devant la photocopieuse, mais alors avec eux… on y passe sa vie, et ils se prennent au sérieux je vous le dis, on dirait des professeurs d'université, et toujours pressés avec ça, comme si… Ne me dites pas quand même que ça peut pas attendre encore cinq minutes… Je vous dis, les secrétaires de mairie, on est les rois de la photocopie. Je ne sais pas seulement débourrer la machine, je peux faire les réparations d'urgence, c'est tout dire : je peux ouvrir un magasin ! Allez, à tout à l'heure, le maire va arriver. Ah, vous avez terminé votre café ? J'emmène la tasse…

Je pris sur le dessus de la pile le registre des actes de naissances. Beaucoup de restauration était à faire sur les registres des années vingt et trente : dos cassés, papier corné, déchirures… Avec la dégradation de la qualité du papier dès le XIXᵉ siècle, ces registres étaient plus mal en point que certains beaucoup plus anciens. Il faudrait pour ces années-là, trois registres pour dix ans, un pour les naissances, un pour les mariages, un pour les décès. Dans les années quatre-vingt, un seul suffisait aux naissances, aux mariages, comme aux morts.

Le maire me fit sursauter en entrant.

— Alors, il y a encore du boulot, hein ? On va remonter le temps gentiment ?

— Bonjour monsieur Gallien. Regardez d'abord ce que je vous ramène relié.

— … C'est beau ! Vous avez déjà touché l'avance ?

— Oui, merci.

— Vous savez comment c'est, ce sera un peu long avant que vous touchiez le solde…

Juste avant de quitter la mairie, au maire qui m'accompagnait à la voiture l'air pensif :

— Monsieur Gallien…, je suis en possession d'un livre qu'un client m'a laissé. Il n'est pas repassé le prendre. Je ne connais pas son nom, il s'agit d'un homme un peu spécial, taciturne, la trentaine, un bel homme, grand, châtain... Je me disais que peut-être il descendait au moulin de La Montagne. Vous savez là-haut ? Vous le connaîtriez ?

— Non, le portrait que vous faites ne me dit rien... Pourtant je les connais de vue, tous, c'est toujours un peu la même bande, ils viennent au café en face et c'est pas des taciturnes, plutôt des joyeux fêtards. Non, ça ne me dit rien.

— Ce n'est pas grave, merci.

— Je peux demander à Marie-Line...

— Non ! Ce n'est pas la peine, merci.

— Une dernière chose, mademoiselle. J'ai entendu des propos désobligeants à votre égard. Je vous ai défendue parce que vous m'aviez fait une très bonne impression... Et je suis bien content de l'avoir fait parce que votre travail est très soigné...

— Mais qui dit quoi ?

— Je ne connais pas la source... C'est le maire de Bigeac qui voulait vous faire travailler... On lui a dit que vous travailliez mal...

— Bigeac, oui, le devis est prêt...

— Je ne sais pas qui a remonté le maire contre vous mais...

— Écoutez je ne comprends pas, le relieur le plus proche est à soixante kilomètres. Il ne me connaît pas encore. Il n'y a que six mois que les livres et les registres commencent à sortir de l'atelier. Je n'ai jamais eu le moindre problème.

— On a dit aussi que vous aviez eu la visite de la gendarmerie, suite à la mort du jeune type à

Montlaudun, celui que vous m'avez décrit à l'instant, je suppose ? On dit qu'il y aurait une enquête… Et que vous êtes la seule sur la liste…

— Mais enfin c'est ridicule… On mélange tout, la qualité de mon travail, la mort accidentelle d'un homme…

— Il faudrait trouver la source et tuer les ragots dans l'œuf parce que malheureusement dans les campagnes, c'est important la réputation d'un artisan… Et surtout que la vôtre, vous n'avez pas encore eu le temps de la construire…

Je remontai en voiture, abasourdie. Je connaissais encore peu de clients, je les avais tous à l'esprit et parmi eux il m'était impossible de deviner celui qui aurait voulu me nuire.

À la grande boulangerie, sur la place principale de Lalande. Je repris mes esprits pour continuer ma quête :

— Bonjour madame, une baguette s'il vous plaît… On m'a dit qu'un groupe de jeunes gens fréquentaient le moulin de La Montagne, des Parisiens qui aiment bien venir faire la fête ici le week-end, ça vous dit quelque chose ?

— Oui, qu'est-ce que vous voulez savoir exactement ?

— Je recherche une des personnes de ce groupe… Je voulais savoir si vous les connaissiez…

— De réputation… Et ça n'encourage pas à les connaître. Ils n'achètent pas leur pain ici, ils vont à la boulangerie de la grande route qui part vers

Montlaudun, ici sur la place, ils viennent au café. Et qui c'était cette personne ?

— Un bel homme, la trentaine, grand, châtain, taciturne... quelqu'un qu'on n'imagine pas faire la fête.

— ... Non, ça ne me dit rien.

À la sortie de Lalande, route de Montlaudun, je visitai la boulangerie que l'on venait de m'indiquer. Le patron, rougeaud, le souffle court, coiffé d'une masse de cheveux noirs mi-longs et en bataille, le tee-shirt gris tendu comme une outre sur son gros ventre, rappelait plus un tenancier de gargote mal fréquentée qu'un boulanger.

André m'avait parlé de lui et dit que son pain était excellent, que le week-end, on faisait la queue devant chez lui, qu'il avait un tour de main aussi sûr que sa sale réputation.

— Monsieur, je suis relieuse à Montlaudun, un client m'a laissé un livre mais pas son nom. J'aimerais pouvoir le contacter... On m'a dit que peut-être il descendait au moulin de La Montagne et que vous étiez le boulanger des gens du moulin. Si je vous le décris, peut-être pourriez-vous me donner son nom ?

— Allez-y.

— La trentaine, bel homme, grand, châtain, taciturne, quelqu'un qu'on n'imagine pas faire la fête.

— Oh ben oui, vous pouvez arrêter là, je vois. Enfin, je vois, non, je ne l'ai jamais vu. C'est les copains de là-haut qui m'en ont touché un mot. Il descend souvent le week-end... Un type correct, mais il ne participe pas aux fêtes, ni à quoi que ce soit de la vie du groupe quoi. Rien. Il est tout le temps fourré dans la forêt… Poli hein, question de ça, poli : participation aux frais et tout. Mes potes le ramènent de temps en temps à la gare de Montlaudun, même directement à Paris je crois. Un vrai ours, un dur… Mais pas de fille dans son lit, remarquez les copains s'en plaignent pas, égard à la concurrence. Peut-être un homo, pourtant pas les manières d'après eux…

— … Une baguette, s'il vous plaît.

— Faut pas vous sentir obligée… Vous roulez avec la camionnette d'André ?

— Oui, je suis installée juste en face de sa boulangerie, il me prête sa camionnette pour mes tournées à moi…

— …

Il m'envisagea.

— Vous êtes quoi déjà ?

— Relieuse.

— Ah oui ? Les livres… Pourquoi pas ! Passez-lui le bonjour à ce vieux renard.

— Je voudrais une baguette, s'il vous plaît.

On "le" connaissait ! Il n'était pas qu'une apparition ou un corps mort ! "Un type correct", "Un ours qui ne participe pas aux fêtes" !

J'en oubliai les nouvelles funestes de M. Gallien.

En ligne droite et sur route plate, la camionnette, lancée un peu trop vite, entre la flûte et la boîte de conserve, émettait tous les sons qu'elle savait. Chaque mot de ce boulanger était pain bénit, on "le" connaissait. "Il" émergeait du néant et sa mort semblait moins déroutante. Vendredi au plus tard, je connaîtrais le nom de l'homme qui m'avait fait rêver.

Ce jour-là, j'aurais pu rentrer à l'atelier et reprendre mon travail là où je l'avais laissé puisqu'il n'y aurait personne au moulin de La Montagne en pleine semaine. Mais la camionnette a tourné d'un coup à gauche, au panneau qu'André avait indiqué. Happée vers l'extérieur de la trajectoire, j'ai cru verser. Les registres paroissiaux de Lalande se sont affolés derrière moi.

La vaillante deux-chevaux a rétabli l'équilibre et nous nous sommes enfoncées dans la forêt. La pente était rude, la fourgonnette roulait lentement, prudente. Plus de ciel.

Je roulais au milieu des arbres, dans une bulle de parfums de terre lourde d'humus, de fougères et de raisin. J'ouvris la vitre pour mieux sentir et d'un coup, sous le manteau vert, tout "son" corps était là. C'était extraordinaire, on aurait dit qu'"il" avait refermé ses bras sur moi. Mon grand-père, lui, m'avait laissé trop de parfums mêlés, je ne saurais les retrouver.

Mais ces odeurs de terre et de forêt me disaient que j'étais sur le bon chemin pour retrouver l'homme du lundi.

La belle revanche sur la mort, de savoir que n'importe quand, partout où il y aurait des forêts, le parfum du solitaire de La Montagne, son âme planerait toujours, soufflée, éparpillée dans les feuillages des arbres, couchée à leurs pieds.

J'émergeai de la forêt et parvins au hameau de La Montagne, éblouie par le soleil inondant la vaste clairière. Je repérai les trois maisons. Je vis la grand-mère cachée derrière son rideau. Je continuai la route, puis suivis la sente qui annonçait le cul-de-sac, jusqu'à déboucher, au pas, sur une vaste cour herbeuse et un bâtiment long et bas, face à moi. Sur ma gauche, se dressait le moulin, un donjon sans aile ni toit.

J'entrepris le tour de la longue bâtisse fermée. Je passai derrière la maison partiellement rénovée. Elle était percée en son milieu par un passage qui laissait voir dans l'exact prolongement, de l'autre côté de la cour herbeuse, la porte de la tour du moulin. On ne pouvait pas contourner la tour car seul un croissant de lune de terrain situé devant était entretenu. Je m'arrêtai au seuil de sa grosse porte de bois noir fendue. À travers ses larges brèches je vis la friche qui avait gagné et au beau milieu de la ruine, un arbre qui semblait faire la nique à tout le reste.

Je traversai la clairière pour m'enfoncer sous les arbres. Je suivis ce parfum qui "l"'incarnait le long d'un sentier qui semblait descendre vers Montlaudun. Je marchai sous l'arche basse des branches pendant un kilomètre environ, comme sous la voûte d'une grotte où l'on aurait préservé l'essence de l'homme solitaire.

Une sente perpendiculaire me coupa la route. Le fil de ma rêverie rompu, je rebroussai chemin. Il fallait quitter la forêt, à des années-lumière du deuil et du grand corps de pierre aux parfums gelés et redescendre vers la ruelle.

Peut-être ce matin l'avait-on emmené, peut-être avait-il déjà disparu de la colline d'en face d'où l'immense hôpital blanc dominait la ville comme une acropole.

Un livre et un parfum : beaucoup d'amants, en cadeau d'adieu, ont fait moins bien.

Je suis remontée dans la camionnette. Je serais bien restée sous les arbres.

Où me suis-je jamais sentie chez moi ? Est-ce qu'on se libère d'un lieu par l'habitude qu'on en a ? Est-on chez soi dès lors que la question ne se pose pas ?

Pour l'heure, je traversais la forêt, m'y sentant à ma place et en bonne compagnie.

CYRANO
C'est trop ! Dans mon espoir le moins modeste
Je n'ai jamais espéré tant ! Il ne me reste
Qu'à mourir maintenant !
C'est à cause des mots
Que je dis qu'IL tremble entre les bleus rameaux !
Car vous tremblez, comme une feuille entre les feuilles !

X

J'ai garé la voiture dans le garage attenant à la boulangerie. Mlle Billon, la quincaillière de la ruelle,
sortait de la boutique d'André.

— Bonjour mademoiselle! J'allais passer vous
voir, j'oubliais qu'on est mercredi. J'ai reçu votre
couteau à parer et vos petits ciseaux courbés, vous
venez les chercher?

— Je vous rejoins, je décharge la voiture et j'arrive. Vous avez déjà déjeuné?

— Oh oui, André aussi, mademoiselle, il est
deux heures, on rouvre! J'ai acheté ma demi-
baguette pour le dîner et le petit-déjeuner demain
matin. Je suis tête de linotte, il m'arrive d'oublier
et de laisser passer l'heure de fermeture de la boulangerie le soir. Je laisse bien régulièrement passer
l'heure de fermeture de ma propre boutique! Je
trie des boulons, passe des commandes, me prends
à quelque chose… Et voilà, c'est vite fait… Pourtant si quelqu'un doit avoir une vie réglée, c'est
bien moi, eh bien non, je suis rétive aux habitu-
des! C'est trop tard pour changer n'est-ce pas, à
tout de suite…

Je me hâtai d'aller la retrouver pour mes petits ciseaux courbés et pour lui demander ce qu'elle savait du moulin.

Cécile Billon tient une quincaillerie avec grande science et dignité. Elle a passé l'âge de la retraite depuis longtemps et refuse net d'aborder le sujet. Elle a des gestes d'équerre, une voix claire qui quand elle chevrotera se taira. Elle porte une longue blouse grise de magasinier, est coiffée de cheveux poivre et sel coupés à la mode des années folles, coiffure dont elle n'a jamais démordu. Elle porte des chaussures de jardinier sur des bas légers l'été et sur de longues chaussettes de laine montées sous le genou l'hiver.

J'utilise quotidiennement des outils, massicots, presse à rogner, couteaux à parer, pincettes, polissoirs… Pour huiler, aiguiser, pour un marteau petit ou grand, à bout rond ou le contraire, je vais la voir.

Comme M. Roche, Mlle Billon a repris l'affaire de son père qui la tenait de son père. Comme l'horloger, elle ne s'est jamais mariée. On vient de loin pour ses vis et ses boulons "qui n'existent plus" assène-t-elle en les faisant couler de ses mains dans leur boîte.

L'autre jour, elle m'a fait visiter sa remise, à peine plus grande que sa boutique, vingt mètres carrés peut-être de caisses, des plus grandes aux plus petites, parfaitement rangées sur des rayonnages quadrillant l'espace jusqu'au plafond. Ici, des vis et des clous, des marteaux, des pinces et des clés à molette, là, tout pour le jardin, tout.

Le stock de Mlle Billon est couché recto verso sur des petits feuillets cartonnés, grands comme la main.

Ils tiennent dans un classeur rebondi de cuir noir aux reflets de soie. Et au boulon près, l'inventaire est à jour.

Cette toute petite dame voit arriver des mécaniciens et des bricoleurs, des jardiniers et jardinières qui ont écumé toutes les grandes surfaces de la terre et pour qui elle est le dernier recours. Elle ne leur reproche jamais leurs infidélités : "Que voulez-vous mon petit, c'est la nature."

Avant de lui rendre visite, je téléphonai à l'hôpital. "Il" était toujours là et personne ne s'était encore inquiété de lui. Je commençais à m'y habituer, je ne le devais pas et me forçais à considérer que chaque appel pouvait m'apporter la nouvelle de son enlèvement.

La boutique de Mlle Billon ? Un décor d'après-guerre, de la blouse de la magasinière à la sonnette de la porte. Il y avait à l'entrée quelques beaux seaux en plastique bleu et rouge pour garder la mesure du temps.

— Entrez. Installez-vous là, sur le tabouret, oui, entre les escabeaux et les seaux en zinc. Je vais poser ça à la cuisine.

Vive et leste comme une jeune fille, au retour de sa cuisine, Mlle Billon saisit des deux mains son escabeau de bois, le posa derrière son vieux comptoir, escalada sans se tenir aux étagères et saisit là-haut ma commande.

— Voilà, vous en serez contente, ils ont pris le temps mais ce sont les meilleurs, nous avons toujours travaillé avec cette maison et n'avons jamais été déçus. Donc, le prix des ciseaux…

Et là, il ne faut pas rire. Mlle Billon ne prête jamais à rire sauf lorsqu'elle plonge tête et nuque vers son petit classeur. Elle colle littéralement l'œil et la loupe à main sur la fiche cartonnée. Mlle Billon livre alors son secret : le prix des choses. Elle ne porte pas de lunettes et personne n'ose lui demander pourquoi.

Mlle Billon n'est jamais personnelle. Certaines petites grands-mères de modèle classique viennent s'asseoir parfois entre les escabeaux et les seaux en zinc pour faire un brin de causette. En réalité, ses anciennes compagnes de certificat d'études parlent, et Mlle Billon, allant et venant, ponctue la conversation d'interjections ou tout au plus de phrases courtes et cinglantes : "Bien", "Quelle idée !", "Est-il idiot encore celui-là !", "Laisse faire le temps, il le rattrapera."

La vie privée de la quincaillière est… privée. Elle vit absolument seule dans sa petite cuisine qui donne sur la boutique. Respect des autres et respect de soi semblent lui tenir lieu de ligne de conduite et d'ego. Elle ne va pas à l'église, est abonnée au journal départemental que je ne l'ai jamais entendu commenter. Elle parle de quincaillerie, de la qualité des articles qu'elle vend, des usines qui les produisent. Elle ne se plaint jamais, ne se lamente pas sur le monde et s'impatiente seulement si ses visiteuses le font :

— Ah non, Berthe, ne geins pas ! Pas ici !

— Mais Cécile, t'es dure, j'ai quand même bien le droit de dire…

— Tu vas le dire ailleurs !

— Alors toi vraiment, on dirait que la vie te touche pas… Tu changeras jamais.

— Toi non plus.

Elle n'utilise pas de caisse enregistreuse ou de machine à calculer :

— Voilà votre facture, recomptez s'il vous plaît.

— Mais non, ce n'est pas nécessaire.

— J'insiste, recomptez.

— … C'est ça.

Tout en payant, je lui demandai :

— Le moulin, à La Montagne au-dessus de Montlaudun, vous le connaissez ?

— Oui.

— Vous pouvez m'en parler ?

— Oui. Qu'est-ce qui vous intéresse, le moulin ou ceux qui y ont vécu ?

— Les deux.

— Le moulin a fonctionné jusqu'en 1919, 1920. Il aurait pu fermer bien avant, bien avant la première guerre même, mais le vieux meunier n'avait pas le cœur à changer de vie. Il a bien essayé d'en faire de plus en plus, livrer la farine, améliorer sa qualité… Moi je ne l'ai pas connu mais mon grand-père, lui, l'a beaucoup fréquenté. Et avec plaisir. Avec lui, j'allais là-haut, c'était notre promenade du dimanche… Vous savez ce chemin, à travers la forêt…

— Oui, je crois que je vois.

— Le moulin a donc fermé à la mort du meunier, en 1919 ou 1920, son fils était mort sur le front et sa belle-fille, jeune veuve, est partie, avec son petit garçon, trouver une place à Paris où elle avait de la famille. Elle n'a pas vendu. Les ailes ont été déposées par un voisin pour faire du bois de chauffage, ce qui avait contrarié mon grand-père je me rappelle. Cette décision avait sans doute été prise pour protéger le moulin en cas de tempête à cause de la prise au vent de ces grandes ailes… Tant que mon grand-père a pu marcher, je l'accompagnais encore là-haut le dimanche. J'avais dix ans quand mon grand-père est mort, il a eu la bonne idée de mourir au printemps quarante, juste avant la défaite honteuse. Est-ce que ma petite histoire vous éclaire?

— Oui, si vous vous rappelez d'autres choses…

— Oui, attendez, ça ne vous ennuie pas si je range ma livraison de ce matin tout en causant?

— Non, pas du tout.

— Bon, où en étais-je, les vis pour M. Lacroix… Alors, le moulin : une des dernières fois où j'y suis allée, en trente-neuf probablement, il y avait un jeune homme d'une vingtaine d'années qui était planté dans la cour en friche à regarder autour de lui, il campait là. Il avait défriché autour du moulin, la porte était ouverte. Je m'en rappelle vous savez, cet homme m'avait marquée, j'étais une gamine, mais il était si beau! C'était le petit-fils du meunier, le fils du malheureux mort au front… Vous suivez? Ils ont discuté lui et mon grand-père, tout était intact, sain, à l'intérieur de la maison d'habitation et de la tour du moulin. Mon grand-père était content.

— Pendant la Seconde Guerre, la femme de ce jeune monsieur et leur toute petite fille sont venues habiter au moulin. Ils étaient mieux là qu'à Paris… La jeune maman était très discrète, elle ne descendait que rarement en ville, deux fois par semaine pour faire quelques courses de bouche. Certains disaient que lui était resté travailler à Paris, d'autres disaient qu'il se cachait dans la forêt le jour, qu'il faisait partie de la Résistance… Il semble qu'il ait vraiment fait partie de la Résistance, s'il se cachait dans la forêt, ça… je ne sais pas. Donc, la tour a été habitée, entretenue un peu à cette époque-là. Après la guerre, la famille revenait une fois par an l'été, pendant les vacances. Ils passaient une ou deux fois acheter quelques outils chez nous, on parlait un peu, c'étaient des gens bien, discrets. Et cela a duré jusqu'à il y a une vingtaine d'années, on a eu un été très sec et la foudre est tombée sur la tour, toute la famille y était, le père, sa fille qui avait elle-même au moins un enfant. Tout le monde en aurait réchappé mais "mon jeune homme", âgé à ce moment-là d'environ soixante ans, a voulu retourner à l'intérieur, malgré les flammes, dans l'espoir de sauver quelque chose. Il est mort des suites, intoxiqué par la fumée. Vous savez ce qui est moche c'est qu'après la guerre on a eu d'énormes incendies dans la région, mais le moulin, bien entretenu par ce monsieur qui débroussaillait sérieusement a été protégé. Mais la foudre… que voulez-vous faire ? Les ruines ont été vendues aux propriétaires de maintenant…

Après une longue pause :

— Vous savez, le jeune monsieur qui est mort lundi sur le parvis de la gare, j'en ai parlé avec André, il est venu ici, dans la boutique, il y a plus d'un an. Il lui ressemblait.

J'eus un frisson :

— À qui?

— Au petit-fils du meunier, celui qui est mort suite à la foudre. Pas seulement les yeux mais les mêmes façons, pas bavard, la corpulence, ça m'a fait drôle vous savez… Il m'a acheté une pioche, un râteau et un sécateur. J'ai jeté un œil à ses mains et je lui ai proposé d'acheter des gants parce qu'à l'évidence ce n'étaient pas des mains habituées au travail manuel. Il a refusé.

— Il a payé par chèque?

— Non, en espèces.

— Quel était le nom de famille de ce monsieur que vous avez connu?

— Lucas.

— Ah…

— Passez voir notre ami le cordonnier, ils étaient en famille, au niveau de la génération de mon grand-père les liens étaient proches : les Lucas du moulin et ceux de la cordonnerie étaient cousins germains. Sébastien sait peut-être où ils vivaient le reste du temps… Notamment sa fille, sans aucun doute la mère de celui dont vous cherchez l'identité… Je vous donne des espoirs, j'espère qu'ils ne sont pas infondés…

— Vous savez que je "le" cherche…? J'allais vous expliquer.

— Ce n'était pas nécessaire, André m'a dit que vous étiez très affectée. La mort de ce jeune homme m'a accablée aussi. Personne de sa famille, de ses amis pour réclamer le corps, une solitude pareille ! Moi qui ai connu un peu les siens ! Si encore ça lui était arrivé là-haut, au moulin, au lieu d'un parvis de gare…

— J'irai à La Montagne vendredi soir, tard, les propriétaires pourront me dire son nom et son adresse à Paris.

— Oui, et allez voir Sébastien.

Je m'arrêtai sur le chemin du retour devant la cordonnerie de Sébastien Lucas, il était quinze heures, la cordonnerie était fermée.

Sébastien persiste à garder des horaires d'ouverture et de fermeture très fantaisistes. Pour ajouter à la confusion, il distribue des laissez-passer les jours de marché. Ces jours-là, il travaille dans l'atelier derrière mais condescend à assurer un service d'urgence. À cet effet, il dépose sur son pas-de-porte, disposée sur un coussin de velours cramoisi, une belle grosse cloche. L'actionnent franchement ceux gratifiés d'un laissez-passer qui viennent chercher des chaussures réparées et plus timidement ceux qui en sont dépourvus et qui portent à la main des chaussures comateuses.

Avant de rentrer travailler, je relus ou découvris certaines des affichettes, papier buvard, bristol de toutes les couleurs, qui constituent la vitrine de Sébastien, sa gazette :

"JEUNE CORDONNIER DE TALENT RÉPARE TOUTES CHAUSSURES PORTÉES AVEC ARDEUR."

"La boutique n'accepte pas les clients de mauvaise humeur, ni ceux qui n'aiment pas le rock des années cinquante."

"Non, madame Michaud, je ne me marierai pas avec la relieuse qui vient de s'installer, je la garde comme copine. Faites passer."

"Non, monsieur l'horticulteur de mes deux, je ne suis pas pédéraste, j'y ai pourtant déjà pensé car je pense à tout, je pense même à vous ou plutôt à vos chaussures, pauvrettes."

"Monsieur Dupuis, il paraît qu'entre autres choses vous êtes bricoleur, puisque la technique vous intéresse, venez donc parler avec moi de la voile et de la vapeur, je vous ferez des dessins."

"Il n'y a que la gueule d'un talon de chaussure qui ne mente jamais."

Les ragots que l'on faisait sur mon compte et l'impuissance qu'ils éveillaient en moi me traversèrent avec violence. J'admirais Sébastien. Je continuai ma lecture :

"Je viens d'acheter un pupitre de scribe et c'est depuis cette estrade que dorénavant je motiverai tout jugement, devis et facture sur chaussures. Toutes m'inspirent, laissez-les venir à moi !"

"Je voue aux chaussures toute ma tendresse, je les vois, marquées des durillons du temps, porter sur tous les chemins le poids d'une humanité boiteuse et, non, cher André, je ne suis pas cinglé : parle-nous, toi, de cette "paire de pompes" que tu m'apportes régulièrement aux premiers signes de fatigue, tellement tu es bien dedans et que t'en pètes de trouille de savoir qu'elles vont bientôt lâcher. Moi, Dieu des mocassins, je t'annoncerai un jour, mécréant, que cette fois-ci, je ne pourrai pas te les ressusciter."

Le jeune cordonnier farfelu s'en tire très bien. Son père était déjà un original, paraît-il. Quand Sébastien est revenu après son tour de France des compagnons cordonniers, les gens d'ici s'attendaient à renouer avec un excentrique. Ce qui le protège des ragots agressifs et vengeurs, c'est sa gazette, sa vitrine. Chacun craint de s'y voir placardé.

Je ne saurais pas faire la même chose.

Ce qui le protège peut-être aussi, c'est la tendresse que beaucoup lui vouent du fait de ses deuils répétés, sa mère morte d'une rupture d'anévrisme quand il avait six ans, son grand-père et sa grand-mère quand il était adolescent à un an d'intervalle et son père d'un cancer l'année qui avait précédé son départ pour son tour de France.

Rien ne me protège. Contrairement à lui, je ne suis pas d'ici. Et puis c'est un cordonnier hors pair, on a besoin de lui. Se défendre des ragots, mais contre qui ? Et qui a besoin d'un relieur ?

Le Bret
— *Les lâches ! Cyrano !*
Ragueneau
— *J'arrive et je le vois...*
Le Bret
— *C'est affreux !*
Ragueneau
— *Notre ami, monsieur, notre poète*
Je le vois, là, par terre, un grand trou dans la tête !
Le Bret
— *Il est mort ?*
Ragueneau
— *Non monsieur, il est sans connaissance.*

De tout l'après-midi, je ne quittai pas l'atelier. Je repris en main les livres sages, j'encollai leurs dos, les décorai de tranchefiles, collai la mousseline et les manches d'air. Je travaillais mécaniquement, m'efforçant de garder la tête vide, d'imprimer à mes gestes une cadence. C'est ainsi que je me repose le mieux. Je refusais de penser aux ragots assassins, je pensais à "lui" qui revenait au monde, qui reprenait corps, dont on prononcerait bientôt le nom...

Je fis ma promenade comme tous les soirs, côté gué. Pour faire mes courses, je n'avais pas envie de pousser jusqu'au grand magasin du centre-ville. Au retour de ma promenade, je m'arrêtai donc à l'épicerie de la ruelle. Je trouvai les deux sœurs rangées au fond de la boutique, près de la caisse. La folle, assise, s'amusait à regarder bouger ses pieds qu'elle faisait glisser dans ses charentaises neuves comme si elle patinait sur la glace, l'autre démêlait une laine détricotée et en reformait une pelote serrée comme du bois.

Celle à la pelote qu'on appelait le plus souvent "l'autre" :
— Comment allez-vous, il y a des jours qu'on ne vous a pas vue, vous ne mangez plus ?
Sa sœur :
— Trahison, trahison !
— Ne l'écoutez pas, vous savez bien comment elle est ! J'en parlais encore avec une cliente, une habituée, une fidèle qui n'a pas de voiture, les supermarchés, c'est la mort du petit commerce…
Sa sœur :
— J'va t'y foutre le feu à leur carton-pâte !
— N'exagère pas Yvonne, tu t'énerves !
— J'te dis que je va y foutre le feu le jour où on va fermer notre boutique !

Je fis mes modestes emplettes, en achetai un peu plus par mauvaise conscience. J'allais saluer les deux dames quand la sœur "dérangée" en guise de salut psalmodia encore :
— Trahison, trahison, la rousse, elle a acheté ailleurs…

La sœur ne la reprit pas :
— Au revoir mademoiselle, à bientôt j'espère.

Je passai chez André pour le saluer, ce soir-là je n'avais pas besoin de pain. Sa femme était montée depuis un moment déjà, André fermait boutique lui aussi et servait les derniers clients. Je lui racontai ma matinée, le salut du boulanger de Lalande.

— Tu lui as acheté du pain ?

— Oui, une demi-baguette… Il y a déjà la folle en face qui vient de me traiter de traître… Tu vas t'y mettre aussi ?

— Au contraire ma belle, il a l'air tout chiffonné ce boulanger, pas soigné, mais il fait un pain de roi.

— Je suis montée au moulin sur le chemin du retour. Et puis, je suis allée voir Cécile Billon. Je crois que nous sommes sur la bonne piste. Elle m'a dit que mon… client ressemblait au propriétaire du moulin, mort dans un incendie il y a vingt ans. Un Lucas, comme Sébastien.

— Elle m'a raconté. Il est toujours là-haut à l'hôpital notre homme ?

— Oui. Personne ne s'en est inquiété… André… quelqu'un colporte des ragots sur moi. Que je ne sais pas travailler. Que je serais impliquée dans "sa" mort…

— Qui a intérêt à faire ça ?

— Je ne sais pas.

— Ne t'inquiète pas va, on va tendre l'oreille.

XI

Jeudi matin. Je passai plus de temps que d'habitude à répondre à tous les messages de mes proches qui m'attendrissaient sans me consoler. Je n'écrivis rien de ce qui me préoccupait.

Les messages de clients potentiels n'étaient pas nombreux. Le plus souvent, il s'agissait de curieux qui auraient voulu "connaître" le prix. Il y avait les farfelus qui vous demandaient de relier la Lune pour un euro cinquante et ceux que je devais renvoyer simplement à mon site où les attendaient déjà les réponses à leurs questions.

J'envoyai laborieusement, toute une heure, des messages, à perte me semblait-il.

Le seul à qui j'aurais voulu écrire était mon grand-père. Il était trop loin pour être joint.

Je couvris les couvertures des livres sages avec les toiles et les cuirs préparés la veille.

À dix heures, le prêtre passa pour me rappeler ma promesse de venir à l'église Saint-Lazare le soir même.

Je fis un saut à la boutique de Sébastien pour lui demander si on pouvait se voir à l'heure du déjeuner.

Il m'invita à venir pique-niquer dans sa boutique et à apporter "une galette et un petit pot de beurre". J'allai donc directement pour la galette chez André qui n'était pas à la boutique mais "En face ! Chez vous, pour son café !" me dit sa femme de son visage impassible.

Je trouvai André assis devant mon comptoir de marchande :

— Salut… ! Moi qui ne lis rien, je me sens bien ici.

— Merci.

— Qu'est-ce que tu fais à aller chez moi quand je t'attends ici comme une andouille avec mon sac à la main ?

— Je vais pique-niquer chez Sébastien à midi, j'allais faire mes emplettes, il m'a demandé d'apporter une galette.

— Qu'est-ce que c'est que ça "une galette" ?

— … Et "un petit pot de beurre".

— Il est vraiment frappé-dingue celui-là ! Tu vas voir le cocktail qu'il va te servir ! Il va te mettre de l'encens à n'y plus rien voir pour masquer les odeurs de pieds, te faire boire dans des sabots et t'éclater les tympans à grands coups de boogie-woogie… Tu parles d'une partie de campagne !

— … Tu as bien des quiches ?

— Je t'en fais réchauffer deux pour midi ?

— Oui. Merci.

— Arrête de dire merci.

— Tu veux un café ?

— Allez !

— Ta femme, qu'est-ce qu'elle pense quand tu viens ici ?

— Comment veux-tu que je le sache ? Je ne suis pas devin !

— Ah, pardon… Je voulais lui commander les quiches mais sans préambule elle m'a dit que tu étais chez moi. Fin de la conversation. J'ai à peine eu le temps de lui dire bonjour.

— Elle va toujours à l'essentiel, c'est pas une chipoteuse, ça l'a jamais été… Il ne faut pas la juger mal. C'est une femme intelligente, tu sais, et c'était "une bonne nature" avant… Je m'en prends au fait qu'on n'ait pas eu d'enfant. Quand on se fréquentait, on riait beaucoup. Elle n'a plus qu'une chose qui l'anime, c'est l'opéra, elle m'en parle tu sais. Elle me fait écouter des choses. Et puis pour ce qui est de mes visites ici, ne t'inquiète pas, la jalousie, c'est un mal qui ne la guette plus depuis longtemps va ! Elle est lucide, regarde de quoi j'ai l'air. J'ai l'âge de ton père.

— Bien… André, demain soir, certains des copropriétaires seront déjà arrivés à La Montagne, j'aimerais y aller.

— Prends la camionnette… Ou bien tu veux la voiture du dimanche ?

— … Je préfère la camionnette, je suis habituée.

— Comme tu veux.

— Merci.

— Je t'ai dit d'arrêter de dire merci.

— Merci.

Jeudi, c'est jour de marché, des curieux s'attardaient devant ma vitrine en attendant de prendre leur tour chez André, en face. Sa boutique ne désemplissait pas. Depuis mon atelier, tout en me parlant, amusé, il observait ceux qui entraient, sortaient, piétinaient devant chez lui.

Un couple se décida à franchir ma porte sur la pointe des pieds.

André :

— Allez la belle, je te laisse : en face, on affiche complet, c'est l'heure de mon petit numéro !

Rejetant la tête vivement en arrière, il avala la dernière goutte de café, salua mes futurs clients, replaça son calot blanc, remonta son pantalon d'une génuflexion chaloupée, passa la porte et fit son entrée chez lui en écartant la foule au milieu des "Ah !" de plaisirs pressentis.

Entre les deux autres visites qui émaillèrent ma matinée, je préparai les caractères à imprimer pour les livres sages.

À midi, j'appelai l'hôpital, mon homme était toujours là-haut. Je ne m'en étonnais plus. J'appelais juste pour m'en assurer, comme si j'avais pris des nouvelles d'un patient dont la convalescence prenait le bon chemin.

À midi, j'allai chercher les quiches que je plaçai dans mon panier à côté d'une bonne bouteille de bordeaux et d'un petit pot de beurre. À la porte de Sébastien, je ne tirai pas la chevillette mais agitai la cloche – jour de marché oblige – avant de la reposer respectueusement sur son coussin de velours cramoisi.

Dans le quart de seconde, la porte s'ouvrit et Sébastien m'apparut, gominé, chaussures noires vernies aux pieds, splendide et déconcertant dans un trois-pièces de jeune marié. Il me laissa sans voix. Je ne l'avais jamais vu qu'en baskets, short et maillot de l'équipe de football de Montlaudun ou, les grands jours, en jean et marcel. Il s'inclina en silence, prit mon panier, me fit passer dans la pièce à côté, son atelier. Médusée, je l'observai mettre un boogie-woogie de tous les diables, retirer la cloche et son coussin du seuil pour la ranger dans le placard à balai et fermer à double tour la porte sur la rue avant de me rejoindre.

Des bougeoirs en argent placés en équilibre sur une machine à coudre le cuir animaient la pièce de travail. Des tiges d'encens se consumaient au milieu d'une étagère chargée de chaussures pour dames. Par terre, il avait étalé une couverture synthétique bleu pastel. On s'assit sur la couverture. Je l'observais, moins amusée que je ne l'aurais voulu, sortir religieusement les quiches, le petit pot de beurre et la bouteille qu'il déboucha. Il servit le vin dans des coupes à champagne. Il m'en tendit une, la main propre et rose, les ongles ombrés de cirage noir.

Il avait disposé sur des assiettes en grès, des amandes, du pâté, du raisin.

— Sébastien, tu veux bien baisser le son?
— Tu n'aimes pas?
— Si, mais on ne s'entend pas.
— Qu'est-ce que tu as me dire, tu veux me demander en mariage? Il faut que j'en parle à Mme Michaud.

— Pas encore. Tu as entendu parler de cet homme qui s'est fait renverser par un camion lundi matin tôt sur le parvis de la gare ?

— Oui.

— Tu sais qui c'était ?

— Aucune idée. C'était un copain à toi ?

— J'aurais bien aimé mais je ne connais même pas son nom. Mlle Billon dit, à cause de la ressemblance, qu'il était le petit-fils de l'ancien propriétaire du moulin de La Montagne.

— Ah!? Tiens, un cousin ! Mort, ça ne m'étonne pas ! Dans la famille on meurt jeune. Le grand-père, c'était un Lucas comme le mien, ils étaient cousins germains. On était allé une fois là-haut…

— Tu connaissais la fille de ce grand-père ?

— Non, quand j'y suis allé en visite, il n'y avait que le vieux. Mais j'avais repéré des jouets d'enfants, il y avait deux vélos, les deux mêmes et des beaux ! J'avais peut-être six, sept ans, ça a brûlé peu de temps après.

— Ton grand-père t'avait raconté des choses sur son cousin, sur l'endroit où il vivait ?

— Oui, à Paris. Sa fille aussi, je crois, puisqu'ils descendaient tous ensemble dans la même voiture. Ils s'aimaient bien, mon grand-père et lui, mais ne se voyaient que très peu. Le cousin quand il était là-haut descendait rarement mais lorsqu'il le faisait, il venait toujours saluer mon grand-père à l'atelier. Ce n'était pas un grand bavard. Mon grand-père disait que pendant la guerre, le fait de vivre tout seul comme un ermite dans les bois, à se cacher, à dormir le jour et vivre la nuit, ça ne l'avait pas arrangé.

— Mlle Billon dit que ce n'est pas certain qu'il ait passé une partie de la guerre là-haut.

— Mon grand-père avait l'air d'en parler comme d'une chose sûre, lui. Pourquoi tu t'intéresses à ma famille ? Tu l'avais rencontré, ce garçon ?

— Lundi matin, très tôt, à sept heures et demie, il est venu frapper à ma porte.

— Qu'est-ce qu'il voulait ?

— Il m'apportait un livre à restaurer. Un très beau livre, un livre de dessins d'un lieu de culte gallo-romain. Je ne sais pas si c'est un lieu rêvé ou au contraire les dessins d'un spécialiste, d'un archéologue ou d'un excellent dessinateur, peintre, passionné d'Antiquité. Ton cousin me l'a remis juste avant de prendre le chemin de la gare…

— Comment il s'appelait lui ? Mon cousin ?

— Je ne connais pas son nom. On n'a retrouvé aucun papier d'identité sur lui, juste ma carte de visite, mon reçu, et de l'argent en espèces… Sa mère s'appelait Lucas, mais son père ?

— Et qu'est-ce que tu vas faire de ce livre ?

— Je ne sais pas, c'est une partie de mon problème… Aucun de ses proches n'a réclamé le corps, il est toujours à la morgue. Si aucun des siens ne se signale… c'est toi l'héritier !

Sébastien qui jusque-là jouait aux habitués, croquait dans sa quiche – un mort, quoi de plus commun ? – s'indigna :

— Il est à la morgue, ici, à l'hôpital ? Personne ne s'inquiète de lui ? Depuis quatre jours ? Remarque moi, qui s'inquiéterait de moi ? Aucun papier d'identité… Le pauvre gars, encore un qui marchait à côté de ses pompes ! Je veux le voir. Tu viens ? On ne peut pas le laisser tout seul.

Le cordonnier était déjà levé, me tirait par la main et ne me lâcha plus. On aborda la colline en marathoniens, Sébastien me halait pour mieux maintenir l'allure. Ceux qu'on croisait écarquillaient les yeux à nous voir, lui endimanché, moi qui lui lançais une fois par minute sans aucun effet : "Je viens, mais je ne veux pas courir !" La carte postale du centre-ville pittoresque rapetissait derrière moi à mesure qu'on approchait du colosse blanc.

Sébastien passa à l'abordage de l'accueil. Il parlait avec des accents de ténor en agitant les bras. Essoufflé, il dit haut qui il était, qu'il voulait voir son cousin dont il ne connaissait ni le prénom ni le nom, car ce mort n'était que le petit-fils du cousin germain de son propre grand-père paternel à lui, Sébastien Lucas. Il conclut en menaçant d'appeler son pote le gendarme, Jean-Pierre, défenseur de l'équipe de football de Montlaudun ! Il n'eut pas à le faire, nous nous retrouvâmes dans une salle vide et blanche où on nous demanda d'attendre un instant. Nous entendîmes les roues d'un chariot qui se turent soudain dans une pièce attenante où on nous invita à passer.

C'était "lui". J'évitai son visage d'abord, m'attachai à observer son col d'imperméable soigneusement replié.

Disparues, les odeurs de forêt et de pluie. Anéantis, les parfums d'humus et de fougère qui émanaient de lui. Emprisonné dans le froid, le sel de sa peau, sous le maillot blanc dont je me rappelai la trame rouler à la pointe de mes doigts. J'avais beau tendre le nez, il ne sentait plus rien. J'étais dépositaire de cela aussi, des odeurs, des derniers moments de vie de cet homme qui ne manquait à personne.

Tous ces regrets, pour quelques minutes partagées sur un pas-de-porte. Qu'est-ce que cela aurait été, si j'avais eu le temps de l'aimer !

CYRANO
Ah ! Non ! C'est un peu court, jeune homme !
On pouvait dire… Oh ! Dieu… ! bien des choses en
somme ! […]

Enfin, j'osais sonder ce masque… Insoutenables, ces yeux fermés sur un regard incomparable. Insoutenable le linceul qui cachait ses belles et grandes mains.

Je demandai à l'infirmier si je pouvais tirer le drap qui les couvrait. Il le fit pour moi. Ses mains n'étaient pas croisées mais reposaient le long du corps. Elles aussi, je les gravai dans ma mémoire.

D'abord je ne vis nulle part la trace d'une ecchymose, du moindre bleu, puis, autour de son oreille et disparaissant dans son cou, une ellipse violette…

Sébastien tout en déversant au-dessus du cadavre des salves de mots, "moulin", "grands-pères", "vélo", lui caressait les cheveux et me répétait : "C'est vrai qu'il ressemble au grand-père, c'est mon cousin dis, c'est mon cousin…"

Puis Sébastien se tourna vers moi et me dit : "Si la famille vient pas le chercher, on sera tout pour lui, le frère, la sœur, la mère, le père… Mais touche-le si tu veux, touche-le, qu'est-ce qu'il était beau ce mec !"

Je ne voulais pas le toucher, je préférai lui parler. J'éprouvais un besoin urgent de lui parler. Je me suis même penchée vers son oreille pour lui exposer l'avancée de la restauration du livre du fanum et suis restée suspendue au-dessus de lui, hébétée. J'avais essayé avec mon grand-père et j'avais oublié. Je ne sais pas parler aux morts.

"Touche ses cheveux, il n'y a plus que ça qui a l'air vrai." Sébastien qui revivait ses deuils au-dessus du corps de ce cousin tombé du ciel s'enfonçait à chaque seconde un peu plus dans le chagrin. Il ne voulait pas refaire le voyage tout seul. Il prit ma main d'autorité et la plongea dans les cheveux du mort où mes doigts se perdirent dans le froid.

On redescendit vers la ruelle à pas pesants et lents, résistants à la pente. Comme on passait le seuil de sa cordonnerie, Sébastien s'arrêta et je continuai mon chemin.

— Où vas-tu ? On n'a pas fini notre pique-nique.
— Il est l'heure d'ouvrir l'atelier… Viens, j'ai quelque chose à te montrer.

Je tirai la liste de noms de sous son poids de verre.

— André m'a conseillé de te montrer cette liste. Elle était dissimulée au dos du livre, entre le dos et la couverture. Ton nom de famille y est. Est-ce que tu connais les autres personnes listées ici, est-ce que tu vois un lien entre elles ?

— Oui ce sont des noms d'ici. Mais ce n'étaient pas directement des amis de mon grand-père, plutôt des connaissances du grand-père du moulin.

Sébastien en s'en allant :

— Ça ne me dit rien de finir le pique-nique tout seul… Tu es sûre que tu ne veux pas venir ?

— Oui, je suis sûre.

— Je mets la musique fort, pour nous deux alors.

Sébastien parti, je nouai mes cheveux sur la nuque, mon tablier autour des hanches. Je restai un moment les bras ballants, perdue, fatiguée. Et puis ma vitrine se mit à vibrer sous les pulsions cadencées des cuivres du boogie-woogie d'à côté. Un fond de piano roulait comme un train lancé à grande vitesse, et les cuivres ponctuaient la route, comme un cœur qui bat.

Je libérai ma table de travail, y couchai les couvertures du livre du fanum. J'observai sans y toucher le fond de maroquin couleur de caramel blond, les deux arbres des plats dont les troncs se décollaient de leur support de carton. Cette idée d'incrustation aurait plu à mon grand-père, je l'avais vu incruster des formes bien plus alambiquées !

Le cuir ne reposait plus que sur une surface amincie de carton puisque je l'avais dédoublé pour sauver les pages de garde à son verso.

Je me remis au travail. Je ponçai ce verso jusqu'à obtenir de nouveau une surface lisse. Les couvertures étaient souples, le cuir couleur chocolat qui figurait les arbres serait d'autant plus facile à travailler. Je recollai les troncs des deux plats. Puis je travaillai la couronne des arbres. Enfin, au chiffon de coton, je massai les deux cuirs jusqu'à ce qu'ils soient à nouveau uniformément bord à bord.

J'étais satisfaite. Les deux cuirs se fondaient à leurs limites. À force d'être lustrés, ils avaient retrouvé leur brillant. Sébastien, à côté, était passé au blues. Mais sa solitude et la mienne me pesaient moins. Masser le cuir que j'avais réchauffé de mes mains libérait mes doigts du souvenir de la corde des cheveux secs et froids.

Le téléphone sonna. La mairie de Bigeac m'avertissait que mon devis ne serait même pas étudié. Obligeamment, la secrétaire espérait que je n'avais pas perdu de temps à le préparer.

En face, André allait fermer. Je n'avais pas besoin de pain… Je ne sortis pas pour ma promenade non plus, je restai travailler. Il n'y avait plus que cela pour me rassurer.

J'avais fermé les volets de la vitrine. Chez Sébastien toute la boutique était éclairée, ses affichettes vibraient maintenant aux hoquets d'un rock des années cinquante : *Blue Suede Shoe*.

À chacun sa recette. Je me réinstallai avec l'intention de travailler jusqu'à tomber de fatigue quand on frappa à la porte.

J'aurais aimé que ce soit Mlle Billon ou André.
C'était M. Roche.

— Bonsoir, quelle surprise! Entrez!

Toujours parfaitement habillé, M. Roche avait passé, au-dessus d'un pantalon impeccable, une veste en lainage chamois sur une chemise blanche au col empesé. Ce soin particulier apporté à sa tenue nous rendit d'abord sa visite fastidieuse, le temps que nos deux timidités se fassent à l'idée de nous rencontrer ailleurs qu'au pied du gué.

M. Roche écouta, appliqué, les explications que je lui faisais sur mes différents outils. Il prit un peu de porto sans rougir. Avant qu'il ne parte, je montai tirer de son tiroir à naphtaline la montre arrêtée de mon grand-père, une Lip mécanique à chiffres romains. Je remis à M. Roche cette montre de "tous les jours" au remontoir cassé. Je ne sais pas pourquoi je la sortis du coffret pour la lui remettre. Pour qu'il m'en reste quelque chose? Il passa le seuil et je restai avec mon coffret rouge et vide en main. Je le posai au bord de ma table de travail et le laissai ouvert.

XII

Le lendemain matin, vendredi, au réveil, la seule chose claire était la perspective du soir : monter à La Montagne.

Puis, les événements de la veille me rattrapèrent : cheveux froids du mort à la morgue, appel de très mauvais augures de la mairie de Bigeac, de la mairie de Montlaudun. Si les couvertures du livre du fanum étaient en passe d'être rénovées, l'avenir de l'atelier était en danger.

Je m'ébrouai pour faire lâcher prise à ces rappels, m'arrachai d'un bond du lit, pour réaliser que j'avais complètement oublié hier au soir le rendez-vous de dix-neuf heures avec le curé.

Je faisais tout de travers, inondais la salle de bains, enfilais mes vêtements à l'envers et laissais déborder le lait. J'hésitai une seconde mais, têtue, je descendis comme d'habitude mon petit-déjeuner à l'atelier et allumai mon ordinateur d'un geste rageur.

En voulant me reculer avant de croquer dans ma tartine pour ne pas risquer de laisser tomber des miettes sur le clavier, j'y renversai ma tasse de café brûlant tout entière. Bien fait.

Je débranchai le clavier et le fis égoutter au cas où il en réchapperait, cul par-dessus tête au-dessus de l'évier. La souris ayant évité l'inondation, si je ne pouvais plus répondre aux messages, je pouvais encore les lire.

J'appelai l'hôpital, la standardiste me salua aimablement par mon nom et sans attendre la question que je n'avais pas encore formulée, d'un air guilleret : "Ne vous inquiétez pas mademoiselle, le corps est toujours là !"

Je l'aurais mordue.

J'observai à la loupe la couverture restaurée la veille. Je m'attendais à ce que le souvenir de perfection que m'avait laissé ce travail se révèle être une illusion. Je suivis la limite des deux peaux blonde et brune, millimètre par millimètre, je soufflai, elles étaient parfaitement solidaires.

Je revins vers l'ordinateur amputé de son clavier. L'anthracologue de Bordeaux confirmait dans un message notre rendez-vous du lendemain samedi, elle me proposait onze heures trente. Je lui téléphonai dans l'idée d'aboyer une ultime confirmation.

Seulement, la voix de cette femme me désarma. Notre conversation d'emblée aisée, claire, courtoise, fluide était impossible à contraindre. Elle semblait prendre intérêt à mes premières impressions de Bordeaux que je connaissais encore peu. Je lui dis que j'étais relieuse et que j'avais trouvé ce morceau de bois dans un livre de famille. Je souhaitais qu'elle l'analyse. Comme nous parlions toujours, je lui expliquai qu'après notre rendez-vous, je devais me rendre sur un chantier de fouilles au centre de Bordeaux dans l'espoir d'y rencontrer un archéologue auquel je souhaitais montrer des croquis, des aquarelles d'un bâtiment que je ne savais pas identifier. Elle connaissait cette fouille derrière la cathédrale et son responsable, elle m'y accompagnerait pour me le présenter.

Je raccrochai réconciliée, pour un temps, avec le monde entier.

Je découpai pour le livre du fanum deux cartons fins aux mesures des deux contre-plats. Ils viendraient renforcer l'intérieur des couvertures trop souples, je les encollai, mis sous presse.

La restauration de la couverture du beau livre était terminée. Restait à les ajuster au bloc cousu de dessins.

J'appelai enfin l'abbé Maupin, curé de l'église Saint-Lazare qui ne m'en voulait pas. Il m'avait attendue pendant une heure, avait d'abord pesté de mon retard puis entrepris de ranger des papiers dans la sacristie, tâche qu'il remettait depuis longtemps et qu'il avait accomplie grâce à mon oubli. D'ailleurs, il avait trouvé des choses intéressantes qu'il voulait me montrer.

Je collai un mot sur ma porte disant qu'on me trouverait à l'église Saint-Lazare. J'étais curieuse de connaître mieux cet abbé Maupin au franc-parler, court et dense comme une bûche, toujours habillé d'un pantalon en tergal gris clair et d'une veste bleu marine ajustée et trop courte. Le regard noir, direct sous le béret, sourire franc, voilà ce que j'en savais.

Je poussai la porte ridée de bois brut de cette église du XIVᵉ siècle. J'entrai… effleurai du regard le bénitier et son fond d'eau bénite… L'abbé Maupin arrivait sur moi d'un pas vigoureux de l'autre extrémité de la nef en levant les bras au ciel. Je compris que c'était d'exaspération. J'avais fait quelque chose de mal ? Il se retourna par deux fois, sans ralentir l'allure, sur une dame empotée qui tournait indécise autour de l'autel comme autour d'un feu, embarrassée de fleurs. Je fus rassurée sur mon compte, pas sur le sien.

Me tendant la main de loin :
— Vous ne vous signez pas ?
Il me serra la main énergiquement.
Moi, un peu ahurie :
— Non. J'ai hésité en vous voyant venir m'accueillir… mais j'ai résisté à la tentation.
— Bien, au moins on est fixé et d'ailleurs je me demande si je ne préfère pas les récalcitrants cérébrés aux grenouilles de bénitiers…

Il fit volte-face et nous remontâmes la nef au pas de charge sus à la sacristie et à la grenouille innocente qui, cherchant comment disposer ses fleurs, tournait toujours égarée autour de l'autel.
Lui pendant l'assaut :
— Figurez-vous qu'il y a un concert ici dimanche après-midi, on m'a assuré qu'on y chanterait des

chants à la gloire de Dieu, je n'en demande pas tant, mais par contre j'ai demandé à voir le programme… Vous comprenez, c'est trop facile, on ne peut pas tout me faire avaler comme pain béni. L'église appartient à tous, certes, mais à condition qu'on la respecte, ce sera le cas dimanche. Une église est d'abord un lieu de prières, on ne peut pas y faire n'importe quoi, chanter du yéyé… N'est-ce pas mademoiselle Païen?

La dame épanouie d'avoir finalement trouvé à placer une seule fleur dans un des nombreux vases debout à ses pieds, se releva respectueusement pour dire :

— Oui, monsieur le curé.

On rasa l'autel sur sa gauche, l'abbé Maupin s'agenouilla, se signa et fila vers la sacristie.

— Enfin, l'église sera sans doute plus pleine ce dimanche après-midi qu'elle ne l'aura été le matin pendant l'office…

— Le pape remplit les stades de football monsieur le curé, un prêté pour un rendu…

Il leva les yeux au ciel et éclata de rire.

Il fallait être deux pour sortir de son étui doublé de velours cramoisi râpé un grand livre couvert d'une peau de porc blanche, cinquante centimètres sur trente environ, épais de sept ou huit. Les premiers feuillets étaient attaqués par les moisissures. C'était un grand livre de transcriptions de chants gothiques, en latin.

Il m'expliqua qu'il s'agissait d'une copie manuscrite de la messe de Notre-Dame composée par Guillaume de Machaut. Il me montra, cousu au coin intérieur de la dernière page, un petit feuillet, sur lequel on pouvait lire, "copie écrite par moi, prêtre Jean Maheu, en l'an de grâce 1602". L'abbé Maupin avait vérifié que ce prêtre avait eu la paroisse en charge à cette époque.

Il s'agissait d'une composition à quatre voix considérée comme le grand chef-d'œuvre du XIVe siècle. C'était la première fois qu'une messe était conçue comme une composition intégrale : les cinq parties *kyrie, gloria, credo, sanctus*, et *agnus dei* étant pensées comme le cycle d'une même œuvre.

L'abbé Maupin :

— Voyez… l'original aura peut être également été menacé par la moisissure, ce sera pour cette raison que ce prêtre l'aura recopiée, pour que la messe ne se perde pas… Ou bien il désirait que l'église possède une copie. C'est lui-même qui aura emprunté l'original… L'aura rendu…

— Qu'il ait eu l'idée de préciser en fin d'ouvrage qu'il s'agissait d'une copie, faite par lui, à telle date, sans appliquer sa marque sur le corps même du livre mais à part, sur un petit feuillet, c'est un joli geste… qui fait penser que cette copie doit être très fidèle…

— Possible, Montlaudun était une ville relativement importante au Moyen Âge, pourtant au point de s'offrir un chœur à quatre voix pour chanter cette messe…

— Il était peut-être simplement musicien, il voulait une copie de cette messe même s'il ne pouvait pas l'entendre interpréter dans son église.

— J'ai un collègue de séminaire féru d'Histoire, à l'occasion, je le contacterai, à mes heures perdues, et au service de Jésus, il y en a peu. En tout cas, ce livre a besoin de vos soins. Faites-nous un devis.

— C'est que… On… Il y a des ragots qui rapportent que je travaillerais mal… Venez à l'atelier, vous verrez mon travail, vous jugerez.

— Laissez faire… Donc vous me ferez un devis. Après sa restauration, j'aimerais que ce livre reste là, préservé dans de bonnes conditions, vous me direz lesquelles. Bien, maintenant, ceux-ci, je les ai trouvés hier soir en vous attendant, dans un carton, tout en bas et au fond de ce meuble, une dizaine d'exemplaires de livres de messes très anciens. Vous me direz si cela vaut la peine. Nous soumettrons le devis de leur restauration à la mairie et à l'association de l'Église. Emportez-les en attendant… Bien, ensuite et finalement, ceux-ci sont à moi : missels de communion et livres de messe des quatre saisons des grands-mères et même de mon arrière-grand-mère… et ce *Petit Paroissien du soldat* qui appartenait à mon grand-oncle mort en 1917 sur le front. Il l'aura laissé à la maison à sa permission de 1916… Le pauvre homme ! On a rien retrouvé de lui. Je prie pour lui encore plus que pour les autres… Ces livres de messe sont tout mon héritage. J'ai une famille de mécréants qui a joué à peu de frais la généreuse en offrant au seul croyant de la bande des livres dont personne ne voulait. Du coup, je me sens d'autant plus responsable de ces choses, comment vous dire… Je déteste les chipoteries autour de la mémoire et des vieilleries. Mais enfin après ma mort, ces livres de messe iront rejoindre la bibliothèque du diocèse, qu'ils y aillent donc requinqués par vos soins !

— Celui-là est magnifique !

— Il a été offert à mon arrière-grand-mère pour sa communion solennelle en 1862, je vous assure que la première fois que je l'ai vu j'étais épaté qu'une chose aussi précieuse ait pu trouver sa place dans ma famille… paysans aisés, tous petits bourgeois, mais avares, une horreur !

À ces derniers mots, il rejeta la tête en arrière et repartit d'un éclat de rire spectaculaire.

— … Alors cela ne m'étonne pas que ce soit la marraine qui le lui ait offert, une cousine par alliance… Regardez ce double fermoir… et il a l'air tout neuf, je vous garantis qu'on lui aura interdit à elle et à toutes ses héritières sur trois générations de l'emporter à la messe pour ne pas l'user…

Ce missel avait des couvertures d'ivoire peint de motifs floraux.

— Les couvertures sont parfaites, je peux me renseigner sur la manière de raviver l'ivoire peut-être. Je peux aussi vérifier l'intérieur des feuillets, les nettoyer si besoin.

— Faites… Et cette boîte-là, regardez…

— Des missels des quatre saisons ???

— Mais oui. Un missel pour les pros si vous voulez, rien ne vous est épargné. J'ai bouquiné, c'est épatant. Et la boîte, impeccable, le cuir est juste un peu décollé ici… Alors regardez, il y a deux missels un peu usagés qui ont besoin de vos soins, ceux de l'automne et de l'hiver. Par contre ceux du printemps et de l'été, impeccables… À la belle saison, Jésus était en vacances et le pèlerin au champ, à récolter… Quoiqu'ils auraient bien pu se mettre une heure au frais dans l'église… Voilà jeune fille, emportez tout ça… Ah non, c'est trop lourd, je vous accompagne, j'empile les deux cartons et vous prenez la messe de Notre-Dame… ça ira ? En avant !

Mlle Païen était toujours pliée en deux devant ses fleurs.

Le curé :

— Mademoiselle, c'est bien, c'est bien, arrêtez de tripoter ces fleurs, Dieu les a faites belles, il a pensé à tout, rentrez chez vous, l'église est assez propre. Allez vous reposer et que je ne vous retrouve pas ici à mon retour ! Au revoir !

— Au revoir monsieur le curé.

Le curé à part :

— Vous allez voir, elle a l'air docile comme ça, mais c'est moi son esclave… Elle va hanter l'église encore pendant une bonne heure à déplacer trois brins de poussière, c'est de la tyrannie, Seigneur donnez-moi la patience !

Nous descendîmes la nef à toute allure. L'abbé Maupin poussa du pied la porte de l'église et nous remontâmes la ruelle sans un mot. À mi-chemin nous rencontrâmes M. le maire. J'eus un moment de recul.

J'étais encore impressionnée par son coup de sang, à l'atelier. Il me gratifia d'un salut sobre mais poli, même traitement à l'abbé Maupin. Je me disais que je m'étais fait des idées, que ce théâtreux, après tout, avait oublié ce malheureux papier qu'il ne voyait destiné qu'à la corbeille et qu'il avait été plutôt exaspéré de ma froideur à son égard…

L'abbé Maupin reprit sa course, et moi avec lui. L'homme aurait dû être coureur de fond. Je le lui dis…

— Coureur de fond et curé, c'est pareil, en attendant l'éternité, les deux courent contre la montre.

Dans l'atelier :

— Je vous pose ça ici. C'est gentil chez vous…

Il en enleva son béret et fit le tour de mon atelier à pas lents.

— Il y règne un grand calme, une jolie atmosphère… plus calme que mon église… Bien, je vous souhaite le bonjour mademoiselle et suis à votre service si vous avez besoin de deux oreilles, d'un cœur et d'une langue bien pendue pour répondre à tout avec l'aide de Notre-Seigneur !

Avant de me remettre au travail, la parenthèse ouverte par l'abbé Maupin refermée, je consultai froidement l'agenda des trois prochaines semaines, fis une croix sur le rendez-vous avec Bigeac.

Rien au fond ne m'engageait. C'est ce soir qui m'importait, et demain matin quand je prendrais le train pour Bordeaux. Je ne voyais pas plus loin. Mon agenda sur les genoux, les yeux dans le vague, au-delà du lendemain matin, je ne tenais à rien.

Et pourtant quand le téléphone sonna, quand le maire de Brive-la-Gaillarde en personne m'annonça qu'il renonçait lui aussi au projet de relier les archives communales, je fus bien forcée de considérer "l'après". Le conseil municipal avait décidé de remettre la gestion de ses archives au bon soin du département. Ils n'allaient tout compte fait pas "s'embêter avec ça". Mon plus gros client s'évanouissait. Une perspective de travail et un revenu régulier sur des années s'envolaient en fumée. Quand je m'étonnai auprès du maire qui était lui-même venu à moi, avec qui j'avais eu personnellement un très bon contact, il bafouilla que ce n'était pas le bon moment de toute façon avec "cette histoire" survenue à Montlaudun.

— Quelle histoire ? Soyez clair !

— Le conseil municipal a su que les gendarmes étaient venus chez vous. Que l'homme décédé était chez vous juste avant de mourir… Tant que la lumière n'est pas faite, vous comprenez… On préfère attendre et voir…

— Je viens de m'installer, je ne peux pas me permettre moi, d'attendre et voir…

Je rayai aussi le rendez-vous prévu à Brive-la-Gaillarde.

Je n'avais plus un sou d'avance. Sans les archives communales à relier, à raison d'une livraison par mois qui assurait le paiement des charges, la survie de l'atelier était en cause à très courte échéance. Mis à part Lalande, toutes les communes, les unes après les autres, reprenaient leurs paroles. Pour démarcher jusqu'à Bordeaux, Périgueux, je devais d'abord avoir les moyens d'investir dans une voiture et dans ces deux villes, il y avait déjà des relieurs, installés depuis longtemps. Je me raccrochais à cette foire aux artisans sur laquelle la commune de Montlaudun m'offrait un stand, où l'on venait disait-on de toute la région. Mais si là aussi le signal était mauvais, mon avenir à Montlaudun risquait de tourner court.

Aurais-je fait tout cela pour repartir au bout de deux ans? La maison vendue, je partirais comme j'étais venue? Pour aller où?

Le temps de me remettre, j'ouvrais le grand livre de la messe de Notre-Dame. Je me penchais sur ce Jean Maheu, le soigneux, qui avait pris tant de soin à tracer chaque portée d'une belle encre grasse, à dresser ces milliers de notes toutes à tête noire. Cette messe avait été bue en ces milliers de points par trois bons kilos de papier, du plus beau, fibres d'habits de coton portés sur des dos, serrés autour des hanches avant de devenir chiffons et de chiffons, papier. Je rêvais qu'on chanterait cette messe aux funérailles du descendant de meunier.

XIII

J'avais les larmes aux yeux à me représenter la musique et la scène de "ses" funérailles solennelles quand André, le regard affûté, entra.

— Bonjour, qu'est-ce que tu as, t'as embrassé l'abbé Maupin sur la bouche ?

— Pitié…

— Tiens, ton croissant. Je rigole pas… parfois à l'église c'est là qu'on voit le diable de plus près…

— Tu veux un café ?

— Si ça ne t'ennuie pas.

— Pas du tout.

— Alors et Sébastien ? C'est un Lucas aussi, comme la mère de notre homme, il t'a appris des choses sur le moulin ?

En me levant pour faire le café :

— Il se rappelait non pas d'un mais de deux vélos d'enfants posés contre le moulin. "Il" a donc un frère ou une sœur… Sébastien a confirmé que le grand-père habitait à Paris, sa fille aussi. Ce soir au moulin, on me donnera "son" nom.

— Et le pique-nique ?

— Les quiches étaient bonnes, merci.

— Toute la ville vous a vu faire un aller et retour à l'hôpital, il était en frac le zozo ?

— Oui.

— Pour faire honneur au mort ?

— Oui.

— Ah les jeunes…

— On n'est même plus jeunes.

— C'est vrai aussi… Il y a de l'agitation à la boutique depuis hier matin. Par Mlle Billon, on a su qu'"il" avait eu de la famille dans le coin. Il aurait fallu filmer les quelques vieux qui sont vraiment d'ici se creuser la tête pour retrouver des détails sur la biographie du père du grand-père du mort : le meunier. Il y a même des prises de becs à propos de qui il avait marié : si c'était la sœur de Gaston ou celle d'Alfred qui habitait la petite rue derrière la quincaillerie. Ils s'échauffent ! Les pépés comme les mémés. Et pis t'as les plus jeunes, soixante ans, qui essaient d'ajouter leur grain de sel et qui se font renvoyer sur le banc de touche comme des morveux. Les détails qui tuent, c'est souvent les femmes qui s'en rappellent, les mecs eux, comptent les points… Et moi, j'en ai encore pour un moment à m'amuser parce que le nom de mariée de la fille, ils l'ont toujours pas. Mais dépêche-toi, ils vont finir par te doubler ! Le médecin ne prescrira pas de multivitamines cette semaine ! Le remue-ménage de l'été à Montlaudun, c'est un petit courant d'air qui passe, ça ou rien, c'est pareil… alors en plein automne, quand t'as le descendant du meunier qui vient se flanquer sous les roues d'un camion au milieu de la place, ça irrigue la mémoire des vieux du cru tu vois, ils se mettent sous le robinet et ils boivent à grandes goulées… Tu as eu des nouvelles d'autres mairies ?

— Oui. Mauvaises. Elles me lâchent. Il n'y a plus que le maire de Lalande qui me fait travailler. Lui, il a vu mon travail. Le ragot qui dit que j'aurais quelque chose à voir avec la mort de mon client, cela me fait presque rire tellement c'est absurde. Mais que je travaille mal…

André, assis dos droit, jambes écartées dans son pantalon vichy, bedaine bien calée, sirotait son café en l'aspirant en pointillé, pensif.

— Mélancolique ? André ? Dis-moi, c'est toi qui as embrassé l'abbé Maupin ce matin ou c'est moi ?

— C'est un embarras la mémoire, c'est comme les fonds de pétrin, une vacherie à nettoyer… Quelle est au fait la première mairie qui t'a lâchée ?

— Celle de Montlaudun.

— Donc les premiers coups sont partis d'ici…

— Mais c'est impossible, c'est Claverie lui-même qui tenait à la reliure des archives de la ville, c'est lui qui me relance pour que je sois à l'heure dite à la porte de la foire dans quelques jours, qui quand je le croise me redit avec des accents incantatoires qu'il va assurer ma "promotion" dans toute la région, je ne lui avais rien demandé. Pourquoi aurait-il intérêt à me couler ?

— Qu'est-ce que tu lui as fait à Claverie ? Tu as refusé ses avances ?

— Mais non, c'est ridicule… Je suis assez froide mais…

André s'était levé péniblement, comme un vieux :

— Alzheimer est très tendance cette année, t'as pas remarqué ? C'est plus de cancer qu'on meurt, démodé… On va tous mourir gaga, tu vois le chantier d'ici ? Des tripotées de soi-disant "vieux sages". Je vais de ce pas laver ma petite tasse pour que demain tu me rinvites, parce que j'ai un bon souvenir de nos rendez-vous du matin ! Et tant que je m'en rappelle…!

André avait lavé sa tasse consciencieusement.

— Dis-moi, ton gars là-haut dans sa boîte, qui va décider de la procédure, incinération ou enterrement ?

— Enterrement.

— C'est toi qui décides ?

— C'est la loi, à défaut de disposition contraire la règle est l'inhumation du corps. Si un membre de sa famille ne se présente pas à temps, on le mettra en terre.

— Ça l'air de t'arranger !

— Quelle idée de brûler un corps… Pour quoi faire ?

— Ça tient moins de place !

— Même pas.

— Pour moi, je pense à l'incinération, perdu pour perdu… Depuis le temps que j'enfourne du pain et des gâteaux dans la gueule de mon four, ça m'amuse assez de subir le même sort… Mais tu sais ce que je pense, à entendre les clients jaser à la boutique, les Lucas, c'était une famille un peu spéciale, on va peut-être encore avoir des surprises… Que t'a dit Sébastien à propos de la liste de noms que tu m'avais montrée ?

— Il pense que c'est les Lucas du moulin. C'est logique maintenant que Mlle Billon a éclairé le lien entre le moulin et le propriétaire du livre.

— Tu veux bien me passer la liste. Je vais la montrer à Gisèle.

Je la repris de sous son verre où je l'avais replacée, la glissai dans une enveloppe pour la protéger et la lui tendis.

André partait sans dire au revoir.

— … André, peut-être que je ne pourrai pas rester à Montlaudun, je n'ai plus d'argent, quasiment rien en compte, mon dernier billet est le "sien". Tout ce que j'avais, je l'ai investi ici. Si je ne retrouve pas vite d'autres clients importants, je ne tiendrai pas deux mois.

— On n'en est pas là. Je te rapporte la clé du garage et de la camionnette.

J'appelai le magasin d'électroménager de l'autre côté du gué. Ils avaient des claviers d'ordinateur, je pouvais passer à midi et quart, ils m'attendraient. J'essayai de rebrancher l'ancien tout de même, sans succès.

Je n'avais jamais imaginé gagner très bien ma vie étant relieuse, mais la gagner, oui. L'échec, devoir refermer cette porte d'atelier si difficile à ouvrir, je ne l'avais avant ce jour jamais considéré.

Je haussai les épaules, incrédule, entre ce mort qui m'avait payé sans que je demande rien et ces autres qui retiraient le pain qu'ils avaient promis.

Les caractères des livres sages étaient prêts pour l'impression. Cette étape de dorure est l'ultime, satisfaisante entre toutes, mais elle est celle qui exige le plus de maîtrise, de calme, des mains de marbre. Une erreur et toutes les couvertures sont à refaire. Je tendis les bras, droits devant moi, les mains bien à plat, comme posés sur une table imaginaire. À ma grande surprise, elles ne tremblaient pas. Je m'installai donc devant la baie du jardinet, à la longue table de chêne, celle destinée à la dorure.

Quand je décorais les plats, j'utilisais ma vieille machine à dorer. N'ayant que les dos à dorer, je le ferais à la main.

J'organisai mon outillage. Éponge, boîtes contenant les feuilles d'or, coussinet, mes deux billots sur lesquels on couche les deux couvertures laissant tomber au milieu le bloc de feuillets. Je préparai mon composteur, l'outil où je coucherais les caractères composant les titres et les noms des auteurs. Pour l'heure, je n'allumais pas le réchaud amélioré par mon grand-père pour chauffer mes fers à dorer mais pour préparer une colle de pâte fraîche, mélange de farine et d'eau. Je laissai refroidir puis je l'appliquai sur les dos de mes livres, à l'endroit où je coucherais l'or.

Je laissai sécher puis grattai le surplus de colle avant d'appliquer une couche de bol d'Arménie. "Boldarménie", petite, je croyais que c'était un personnage, un ami de mon grand-père. Ce n'est qu'une argile très fine qui permet l'adhérence de l'or. Après l'avoir dissous dans de l'eau additionnée de blanc d'œuf, je l'appliquai et j'attendis encore. Puis je lustrai les surfaces encollées. Ensuite seulement, j'appliquai une couche légère de blanc d'œuf étendu de dix fois son poids d'eau. J'attendis encore… et j'étais de plus en plus calme.

J'ai hérité de mieux que d'une maison, j'ai hérité de la collection de fers à dorer et d'alphabets complets de mon grand-père.

Mon premier acte d'aménagement avait été de faire construire dans l'atelier un long placard qui s'étendait de dessous l'escalier qui montait à l'appartement jusqu'au coin du jardinet et sur toute la hauteur du panneau. Pendaient à des crochets la soixantaine de manches de vieux bois pour beaucoup noircis dans lesquels étaient fichés mes fers à dorer préférés. Ils arboraient toutes les modes décoratives de la Renaissance aux années soixante.

Il y en avait encore cent cinquante et un, libres de manche, qui occupaient deux grands tiroirs.

Dans les autres tiroirs plats – que je faisais coulisser en tirant, en guise de poignée, sur des fers à dorer de grande taille, inutilisables d'avoir trop servi car épatés sur les bords – s'étalaient mes alphabets. Des caractères énormes, pour journaux et affiches, aux plus petits caractères, tous les styles étaient représentés, du gothique au plus dépouillé des années d'après-guerre.

Puis près du jardinet étaient les tiroirs réservés aux grands et petits motifs plats que j'utilisais sur ma vieille machine à dorer des années trente, deux meubles à tiroirs pleins, pleins de lignes simples ou décorées, droites, courbes, opulentes pour celles des années 1900 qui servaient à imprimer des cadres, mais aussi des dizaines de motifs floraux, des animaux, des croix, des gouttes : deux meubles pleins.

C'est vrai que parfois le soir, j'ouvre toutes les portes et les tiroirs. Je regarde mon trésor, je me moque de moi pour la forme, parle tout haut à mon grand-père et dans la foulée, monte lire Cyrano.

Le Duc
Est-ce que Cyrano vient vous voir ?
Roxane
Oui, souvent.
Ce vieil ami, pour moi, remplace les gazettes.
Il vient ; c'est régulier ; sous cet arbre où vous êtes.

Midi vingt. Je passerais à l'étape de dorure proprement dite l'après-midi.

Je téléphonai à l'hôpital où on m'assura qu'"il" était toujours là.

Je fermai l'atelier et courus de l'autre côté du gué où l'homme hi-fi m'attendait. M. Roche serait assis sur son banc à regarder l'eau couler.

Non, les rideaux métalliques de ses vitrines étaient fermés. Je ralentis l'allure pour écouter si aucun son ne me parvenait de sa maison.

J'atteignis le magasin sans grâce de matériel électro-ménager-multimédia.

— Bonjour monsieur, excusez-moi, je suis un peu en retard…

— Pensez-vous… Venez, je vous montre…

— Les rideaux de M. Roche sont tirés… Il s'est absenté ?

— Oui, à l'hôpital.

— …

— C'est rien, son stimulateur cardiaque avait des sautes d'humeur. C'est moi qui hier soir lui ai tiré son rideau devant la boutique. Il était fatigué. Ce matin il partait pour une journée d'observation à l'hôpital.

Le monsieur continuait à déballer ses cartons, à en extraire un clavier, puis deux, puis des quantités. Je les essayai les uns après les autres, machinalement, du standard à dix euros à celui qui en valait cent, "ergonomique ultime". Mon compte bancaire était à zéro mais je pris celui-là, le plus cher, pour me punir ou parce que ses clapotis étaient plus clairs que ceux des autres ? Je montai à l'hôpital.

L'hôtesse d'accueil me salua aimablement et me dit, mutine :

— Il est toujours là, vous avez appelé il y a une petite heure, il ne s'est pas envolé…

— Oui… Mais je viens voir M. Roche.

— Ah… Bien, alors, M. Roche est en cardiologie, chambre 15.

— Merci.

Un "oui" fané répondit au petit coup frappé à la porte. Je passai la tête avec précaution. M. Roche dans un peignoir satiné, à demi allongé sur un fauteuil, des tubes sortant de sa manche me sourit et m'invita à entrer.

— Asseyez-vous.

— Ont-ils réajusté votre stimulateur cardiaque?

— Oui, il faut changer la pile au lithium un peu avant l'heure. Si seulement je pouvais me passer de cette bombe à retardement…

— Que dites-vous monsieur Roche!

— Rien, rien… Je m'amuse du paradoxe pour l'horloger que je suis mais la vérité est que je n'aime pas avoir cette pile en moi… Mais parlons d'autre chose. Je sors ce soir ou demain matin, le temps de faire quelques réglages sur mon cœur trop lent. Je commencerai à travailler sur la montre de votre grand-père dès demain. Je n'aime pas être à l'hôpital, mademoiselle, je suis habitué à avoir les outils dans ma main…

— Reposez-vous, réparer la montre de mon grand-père n'est pas urgent.

— Je vois que vous ne portez pas de montre vous-même.

— Je n'en ai jamais porté.

— Vous porterez peut-être celle de votre grand-père quand je vous l'aurai réparée. Les femmes portent des montres d'homme de nos jours.

— Oui… Est-ce que je peux vous rapporter quelque chose de Bordeaux? J'y vais demain.

— Non, je n'ai besoin de rien. Que portez-vous sous le bras?

— Un clavier d'ordinateur. C'est le dernier-né, "il vient de sortir", on m'en a vanté les qualités, moi je l'ai choisi à cause des bruits qu'il fait quand on frappe les touches…

— C'est un argument de vente auquel ils n'ont pas dû penser!

166

Rires.

— Je vous laisse, vous êtes fatigué.

— Je me sens déjà mieux.

— Pourtant, tout à coup, vous avez l'air sombre...

— C'est juste que j'ai des idées noires parfois. Une en particulier à cause de cette pile. C'est macabre, vous vous moqueriez de moi... Trop de sable noir dans le sablier.

Avant de partir je m'arrêtai au local des infirmiers, je mentionnai que M. Roche n'avait pas bon moral. Une infirmière me dit qu'il commençait un traitement à long terme pour le soulager de ses obsessions.

— Obsessions? C'est à ce point? Quelles obsessions?

— Il a des crises d'angoisse. Il a peur des incendies, peur que lors de son décès on ne lui retire pas le stimulateur cardiaque. Il dit qu'il est heureux de vivre au bord de la rivière mais malheureux de vivre seul.

— Je ne vois pas le rapport.

— En cas de décès, le stimulateur doit être retiré, qu'il y ait crémation ou enterrement. La famille pourrait ultérieurement demander la crémation. Or au-delà de 180 °C, la pile explose... Il est angoissé par cette idée, à l'idée de mourir seul, qu'aucun médecin ne pense à retirer sa pile avant de le mettre en bière... Il en fait des cauchemars. Il est terrorisé à l'idée qu'il ne reste de lui que cette pile au lithium.

Mon clavier "ergonomique ultime" sous le bras – monsieur hi-fi m'avait dit que je ne le regretterai pas, qu'il écrivait tout seul – je me laissai couler vers le gué, aussi vacante que l'atelier d'horloger de M. Roche.

J'atteignais la ruelle. La folle, tout d'une pièce sur ses petits mollets longs tuyautés de bas noirs, était sur le pas-de-porte de l'épicerie. Les mains sur les hanches, son ventre sec en avant, les cheveux blancs et courts, abrutis de sieste, aplatis en couronne sur l'arrière du crâne, elle se réveillait. Elle se réveillait toujours ainsi, lentement, suspicieuse.

Depuis la marche de l'épicerie, comme un rapace au bord de son nid, elle reconnaissait son territoire. À gauche, à droite, en haut, les yeux rivés au pavé, les pavillons de ses oreilles bien ouverts, elle ne perdait rien des bribes du petit peu de vie qui passait à sa portée. Il était bientôt deux heures, les magasins rouvraient à pas comptés.

Elle me suivait des yeux sans vergogne, fixement, je lui dis bonjour en passant, la voix étouffée, et elle, hargneuse :

— Qu'est-ce que tu lui as fait à M. Roche ? Hein ? Mauvaise ! Traînée ! T'avais pas assez de l'étranger et du cordonnier ! Mauvaise ! Mauvaise ! J'ai dit partout qu'il était sorti de chez toi hier soir, blanc comme la mort, comme celui de lundi ! Ne touche pas à M. Roche, c'est le fiancé de ma sœur, traînée ! Traîtresse qui va faire ses courses au supermarché !

La porte de la boutique de Sébastien s'ouvrit en trombe. Tête dans les épaules, le cordonnier en marcel blanc et jean, un marteau dans une main, une botte enfoncée jusqu'au coude dans l'autre, se planta en face de la vieille femme :

— Mais elle va se taire cette vieille pie ! Rentre dans ta tanière ! Va siroter ta bile dans ta réserve ! Si je te reprends à insulter mon amie une seule fois, je te fais avaler le quarante-cinq tours de la Bécassine de Chantal Goya. Aussi vrai que mon père n'a jamais cru à ta folie et qu'il t'a déjà calottée !

La folle s'enfuit vers ses cageots d'une foulée de marathonien en bout de course pour ne pas perdre ses charentaises.

Sonnée, je repris ma marche qui s'était figée sous le flot d'insultes, passai à hauteur de Sébastien sans pouvoir le gratifier ne serait-ce que d'un regard. En passant la porte de l'épicerie, j'avais vu la folle, au fond, franchir sans ralentir le seuil de la réserve et bousculer sa sœur qui, les bras croisés, adossée contre le chambranle, fixait la rue.

Des deux, c'est elle qui me fit le plus peur.

Sébastien était allé poser sa botte et son marteau. Il me rattrapa sur le seuil de l'atelier.

J'étais incapable de tourner la clé dans la serrure tant je tremblais et ne pouvais pas m'aider de mon autre main, crispée sur mon "clavier ergonomique ultime".

— Arrête de trembler princesse, les cordonniers épousent les princesses qui tremblent ! Laisse-moi t'aider…

— M. Roche est à l'hôpital tu sais… Sa pile… Il va bien… Oh, c'est une ruelle de fous…

— Surtout le libraire et sa mère, ceux-là sont les plus toqués tout de même, reconnais-le…

J'avais ri dans un hoquet.

Sébastien :

— C'est ouvert ! T'avais oublié de fermer ?

— Non !

J'entrai… Devant le spectacle de l'atelier sens dessus dessous, toujours agrippée à mon clavier, je m'étranglai.

Sébastien :

— Merde, on a tout fouillé. Heureusement tes outils ne se cassent pas !

— Le livre… Il est là. Tous les tiroirs sont ouverts… Mes fers à dorer ! Les feuilles d'or… Non, tout est là, les agates peut-être ? Non, elles sont là… Mon ordinateur…

— Tu avais du liquide là-haut ?

— Non…

— Je vais voir.

Sébastien du haut de l'escalier me dit que tout était en désordre aussi, les tiroirs à bas, le frigo ouvert, mais que les choses que "ces gens-là" dérobent, appareil photo numérique, caméra, tout était là.

Le cordonnier rangea le haut.

J'entrepris de ranger le bas, ramasser les toiles, les papiers, les cuirs, les ais, et refermer les tiroirs des fers à dorer où pas un ne manquait.

Une heure plus tard, il n'y paraissait presque plus. Presque.

— Sébastien, tu crois que la folle aurait fait cela ? Ce qui expliquerait qu'on a tout flanqué par terre mais rien pris ?

— Rien pris et rien cassé… Non, quelqu'un cherchait du liquide, il n'en aura pas trouvé… Mais pas la folle, elle est trouillarde, jamais elle ne se risquerait ne serait-ce qu'en dehors de chez elle.

— Sa sœur ?

— Trop prudente. Toi tu te reposes, moi je vais demander si on a remarqué quelque chose, ou quelqu'un dans la ruelle, le problème c'est qu'à l'heure du déjeuner, il n'y a pas grand monde pour voir ce qui se passe… à part la folle…

Sébastien parti, je m'assis à ma table de travail, inerte. Il me semblait que tous les jours, plusieurs fois par jour, on me mettait à terre et que je devais me relever. Une chose roula sous mon pied. Mon presse-papiers de verre qu'on avait fait tomber.

Le voleur qui ne m'avait rien pris, avait une clé passe-partout puisque la serrure n'avait pas été forcée…

J'étais bien sûre d'avoir verrouillé.

La serrure n'avait pas changé avec les propriétaires. Pourquoi l'ancien propriétaire voudrait-il me voler ? C'était un homme aisé, qui vivait dans une superbe maison en dehors de la ville.

Aller déclarer une violation de domicile à la gendarmerie alors que la porte n'avait pas été forcée…

Je ne voulais pas qu'on me voie me rendre chez les gendarmes. Je ne voulais pas qu'ils viennent chez moi.

J'entendis la porte de la boulangerie claquer, la voix d'André rouler, tempêter, grossir jusqu'à ce que lui et Sébastien se dressent sur mon seuil.

André, comme un ours en cage :

— Sébastien m'a raconté, personne n'a rien vu. Il n'y a que la folle qui aurait pu voir quelque chose. Mais pour une fois qu'elle pourrait ouvrir sa boîte à venin utilement, elle reste muette comme une carpe, sa sorcière de sœur aussi. Mais je t'assure que doré-navant je vais veiller, Gisèle est au courant. Le misé-rable, je le plaindrais presque, si je lui mets la main dessus… tu vois ma main, elle est large…

André levait cette main vengeresse, comme une lavandière son battoir, en répétition du châtiment qui allait s'abattre :

— On va l'avoir ce cafard… J'ai des choses au four, je rentre, mais ne te fais pas de souci, on va trouver qui a fait ça… Appelle les gendarmes tout de suite.

— Non. Je ne veux plus les voir ici. La serrure n'a pas été fracturée. Je ne comprends pas, je ne saurais pas quoi leur dire. Je ne veux pas les voir ici.

— Ah… Gisèle a regardé la liste. La signature est illisible. Car ce nom illisible, tout en bas : c'est une signature. Gisèle a vu ça tout de suite. C'est une signature apposée au bas d'une liste. Pour savoir à qui appartient cette signature, Gisèle a son idée. Dès que j'ai du nouveau, je te préviens. Haut les cœurs jeune fille !

Seule à nouveau. Les dents serrées, j'attrapai mon tablier et le nouai fermement sur mes hanches. J'allumai le réchaud et poursuivis mon travail de dorure, là où je l'avais laissé.

Entre le feu et l'or, geste après geste, le calme revint.

Une heure et demie plus loin, les dorures sur cuir et toile étaient terminées, les livres sages étaient prêts.

Une heure et demie de répit car à peine le geste suspendu, la peur me reprit, la rage aussi.

J'avais besoin d'argent, de liquide. Il fallait contacter les propriétaires des livres sages.

Je bus un café, trop chaud, trop vite. Je broyai de mes dents la chair d'une pomme, la chair du pain.

Oser toucher aux fers à dorer de mon grand-père !

C'est mon atelier qui avait été violé. Ou le sien ?

Je branchai mon nouveau clavier au moniteur.

Le grand écran éteint qui reflétait mon image avait l'air si fatigué, ainsi attaché à ce clavier flambant neuf.

Et c'est dans ce couple mal ficelé que j'avais placé mon dernier argent ?

Le deuil comme une amputation, le membre absent fait mal longtemps.

Holà, Cyrano ?

CYRANO. Il lève son épée.
Que dites-vous ?... C'est inutile ?... Je le sais !
Mais on ne se bat pas dans l'espoir du succès !

Non, non, c'est bien plus beau lorsque c'est inutile! [...]

N'importe : je me bats! Je me bats! Je me bats!

Je repris le livre du fanum en main. Le dessus des couvertures restauré, l'intérieur doublé, je passai à l'étape finale de l'emboîtage : je préparai macules, colle et pinceaux.

Je le feuilletai encore, nu, avant de le recouvrir de son manteau. Après l'emboîtage et jusqu'à demain, je ne pourrais plus y toucher.

L'opération terminée, j'ajoutai sur le contre-plat du recto une pochette de papier pour recevoir la liste des noms restée avec André. Je mis le livre sous presse entre deux ais, en tournai la roue. La restauration était terminée.

Deux heures avant de monter au moulin. Deux heures vacantes. Trop tard pour entreprendre autre chose sur un autre livre. La reliure du livre du fanum était finie. Quoi faire maintenant?

Pour tromper le temps, je me préparai, me fit belle un peu. Puis je redescendis à l'atelier et m'assis à ma table de travail, désœuvrée, prête à partir, manteau sur le dos.

Une petite édition de *Cyrano* était enfermée dans ma main. Je me remémorais les yeux dans le vide ce petit "David" du livre du fanum. En pensée, je lui tournais autour sous le toit pentu, suivais le péristyle et sa promenade vers l'intérieur qu'aucun obstacle n'empêchait de perpétuer. Si j'avais su prier!

La serrure n'avait pas été fracturée. Quelqu'un avait la clé. J'étais sûre d'avoir verrouillé. Cette nuit, pendant que je dormirais, quelqu'un pouvait entrer... comme dans un moulin.

Le silence fut déchiré par des bruits de lutte et d'air battu qui me parvenaient du jardinet : le chat de l'épicière mangeait un oiseau. N'aurais-je donc jamais la paix ? Quelques plumes me rappelleraient son festin pendant des jours encore. Je haïssais ce chat depuis longtemps. J'avais dès le deuxième jour de mon installation ici compris qu'il ne fallait pas jeter dans le jardinet de miettes pour les oiseaux, pour ne pas les attirer dans ce piège muré, cette prison.

Aller chez les gendarmes ? Pour leur dire quoi, qu'on avait rien trouvé chez moi qui vaille la peine d'être pris ?

J'aurais bien pendu ce matou noir et gras au moignon funeste de cet arbre qui ne donnait pas de fruit.

En toute bonne foi, de nous deux, il aurait été plus facile de m'y pendre moi.

C'était le moment de faire appel à mon fétiche : j'ouvris le volume de *Cyrano* que je serrais toujours dans ma main.

On peut lire *Bergerac* de Rostand comme on le fait d'une carte postale d'été, ou le dire haut, juste pour le rythme facile de la rime. On peut le lire pour rire, pour s'émouvoir, pour s'attarder sur le panache de son héros. Pour bien dormir, on peut prendre le soir, un dialogue au hasard, et faire une toilette de chat de l'esprit, juste avant de sombrer. On peut le prendre au petit-déjeuner, pour se donner du cœur et une âme claire, juste une lampée avec son café.

Je lus une page au hasard :

De Guiche
Vous ne pouvez rester ici !
Roxane, gaiement
Mais si, mais si !
Voulez-vous m'avancer un tambour ?...
Elle s'assied sur un tambour qu'on avance.
Là, merci !
Elle rit.
On a tiré sur mon carrosse !
Fièrement.
... Une patrouille !
Il a l'air d'être fait avec une citrouille,
N'est-ce pas ? Comme dans les contes, et les laquais
Avec des rats.
Envoyant des lèvres un baiser à Christian.
Bonjour !
Les regardant tous.
Vous n'avez pas l'air gais !
Savez-vous que c'est loin, Arras ?
Apercevant Cyrano.
Cousin, Charmée !
Cyrano, s'avançant.
Ah ça ! Comment ?...
Roxane
Comment j'ai retrouvé l'armée ?
Oh ! mon Dieu, mon ami, mais c'est tout simple : j'ai
Marché tant que j'ai vu le pays ravagé.

Ah! Ces horreurs, il a fallu que je les visse
Pour y croire! Messieurs, si c'est là le service
De votre roi, le mien vaut mieux!

La nuit tombait. L'heure était venue.

Un petit faisceau de lumière jaune filtrant de derrière le volet des deux sorcières conjugué à un bruit
de fenêtre qui claque suffirent à me faire sursauter
et je me tordis la cheville sur les pavés humides.
J'ouvris en claudiquant les portes du garage d'André en silence et le souffle suspendu pour ne pas
réveiller Dieu sait qui.

XIV

Les portes du garage refermées et assise au volant de la camionnette, je retrouvai de ma superbe : rien à signaler du côté de l'épicerie, aucun monstre de la nuit n'en était sorti. André et sa femme veillaient sur ma maison.

Je cahotai, tanguai les quelque cent mètres qui me séparaient du gué, les mains arrimées au volant. Je mis le cap sur la forêt épaisse et noire. À la lisière, j'ouvris grande la vitre. En plein soleil ou à la nuit brumeuse, c'était le même enchantement, le temps était très doux. Un vent constant, léger, s'était levé et l'air diffusait son encens d'humus et de fougère.

ROXANE
Alors, je répondais : "Je vais voir mon amant."
Aussitôt l'Espagnol à l'air le plus féroce
Refermait gravement la porte du carrosse,
D'un geste de la main à faire envie au Roi
Relevait les mousquets braqués sur moi,
Et superbe de grâce, à la fois, et de morgue,
L'ergot tendu sous la dentelle en tuyau d'orgue,
Le feutre au vent pour que la plume palpitât,
S'inclinait en disant : "Passez Señorita!"

Quelques secondes en moins, s'il n'avait pas perdu de temps à retenir ma main…?

Quelques secondes en plus, celles où j'aurais appelé le médecin…?

Dans la bâche du camion, quelques nœuds de vent qui se seraient perdus…?

S'il avait vécu, c'est ce soir que nous nous serions retrouvés. Je serais montée lui porter son livre là-haut au moulin. Je déclinai les expressions de son visage au moment où il aurait repris possession du livre métamorphosé.

Dans la forêt, sa mort redevenait improbable, une vision romantique, ni plus ni moins que sa visite à l'atelier ce matin de tempête. La réalité des deux événements devenait également floue.

Non, je ne raffolais pas des cadavres. Pour qu'il me charme je n'avais pas attendu qu'il meure. Dieu, ou qui voudra, sait que je n'aurais pas eu peur de perdre un amant rêvé, que je l'aurais bien essayé pour de vrai.

Je ne me dégrisai des parfums de forêt qu'en manquant d'emboutir un tas de voitures immatriculées 75 parquées au pied du moulin. Je reconnus à peine la longère, de nuit, illuminée et grouillante de vie.

Je descendis de mon carrosse, déjà s'avançait un homme un verre à la main.

— Bonsoir !

— Bonsoir !

— La soirée commence à prendre tournure, vous arrivez au bon moment… On s'est déjà rencontré?

— Non. Je…

— Vous cherchez quelqu'un?

— Oui. Je cherche à retrouver la famille de quelqu'un que vous connaissiez peut-être, un homme de votre âge qui était ici le week-end dernier, très grand, en imperméable.

— Un grand taciturne?

— Oui. Cet homme est mort accidentellement en se rendant à la gare. Lundi. Juste avant de mourir, il a laissé un livre à mon atelier, je suis relieuse à Montlaudun. J'ai restauré ce livre mais je ne sais pas à qui le remettre car cet homme n'avait aucun papier sur lui permettant de l'identifier. J'ai cru comprendre qu'il passait ses week-ends ici.

— "Pascal"! Oh, mon Dieu…! Pascal est mort!

— Pascal… Pascal…

— … Et vous? Comment vous vous appelez? Moi c'est Éric.

— Mathilde, je m'appelle Mathilde.

— Enchanté Mathilde!

Un homme était sorti fumer sur le pas de la porte. Nous voyant, il nous rejoignit.

— Dis François, Pascal est mort!

— Je sais. Je voulais le dire à tout le monde, j'attendais qu'ils soient tous arrivés. On va le faire maintenant…

— Mathilde, je te présente François, l'un des propriétaires. Pascal avait apporté un livre à relier à

Mathilde. Elle recherche la famille pour lui remettre le livre.

J'associai la silhouette de François, comme il s'approchait de nous dans l'obscurité, à celle d'un boxeur, sûr de lui, sans arrogance.

— Je me rappelle du livre, un grand volume, tout abîmé… Avec un arbre dessiné dessus? Vous êtes d'où?

— De Montlaudun.

— La gendarmerie m'a appelé pour me demander ce que je savais de lui. Je vais vous redire ce que je leur ai appris. Pascal m'a contacté la première fois il y a de cela cinq ans peut-être, pour me demander s'il pouvait venir passer des week-ends ici. En contrepartie, on demande une petite participation à chacun pour l'entretien du moulin. Je ne connais pas son nom de famille, il a dû me le dire la première fois qu'on s'est parlé, mais je ne m'en rappelle pas… On n'est pas du genre ici à demander les papiers.

— Son grand-père était un Lucas… Pascal est le fils de la fille de ce Lucas, ce n'est donc probablement pas son nom…

— Ça ne me dit rien… Il venait rarement les premiers temps et puis il est venu de plus en plus régulièrement mais toujours aussi mutique. Il n'a jamais payé par chèque, c'est ce que j'ai dit aux gendarmes… En tout cas ses parents devaient être du coin, il connaissait bien.

— Son grand-père Lucas a été propriétaire du moulin. Pascal… venait ici passer ses vacances, petit.

Je le sais par le cordonnier de Montlaudun, c'est un cousin éloigné.

François, choqué :

— Pascal ne nous avait rien dit. Je ne savais pas que le moulin avait appartenu à sa famille… qu'il le connaissait depuis qu'il était gamin… Pourquoi nous l'a-t-il caché ? Et pourquoi est-ce que ce cordonnier ne connaît pas l'identité complète de Pascal alors, si c'est son cousin ?

— Les grands-pères étaient cousins germains, Pascal et le cordonnier ne s'étaient jamais rencontrés.

— De toute façon, Pascal se cachait de tous, il mangeait dans la forêt sur le pouce tout seul comme un ours… On a tous laissé tomber les uns après les autres. Même moi que ça a longtemps travaillé, j'ai fini par ne plus m'apercevoir qu'il était là. Il prenait toujours la plus petite chambre, un cagibi en fait. Un cagibi. C'est là que couchait l'ouvrier dans le temps… Il n'y a pas de chauffage, personne n'en veut de cet endroit ! Le lit de camp y tient toute la longueur, ça devait être juste pour lui qui était si grand… Mais on ne peut pas rattraper des gens comme ça, ils sont trop loin… Mon frère est beaucoup plus âgé que moi, c'est à lui que j'ai racheté les parts il y a six ans, c'est lui qui a fait partie du premier wagon de propriétaires… Il y aura le nom de la mère dans le contrat de vente, forcément. Les gendarmes ont peut-être déjà trouvé.

— Est-ce que je pourrais voir la petite chambre ?

— Pas de problème. C'est sur l'arrière. On y va.

Plutôt que d'utiliser le passage percé dans le bâtiment plongé dans le noir, nous traversâmes la pièce principale du moulin. Le temps était doux, la porte laissée ouverte, le feu crépitait quand même dans la cheminée. Une douzaine de personnes, debout, assises, parlaient, cuisinaient, riaient, jouaient aux cartes ou aux échecs, sifflaient le préposé à la musique qui avait mis un air qu'on n'aimait pas.

Au milieu d'un ou deux éclats de rire, François leva la main droite tout en continuant à marcher et lança à la cantonade :

— Mathilde, relieuse à Montlaudun. On lui montre un truc et on revient.

Nous ressortîmes sur l'arrière du bâtiment. À quelques mètres à gauche, un escalier extérieur de pierre, que j'avais remarqué l'autre jour, montait jusqu'à un palier qui desservait à droite un petit grenier – L'accès au grenier principal se faisait par-devant, du côté de la tour du moulin.

À gauche de ce palier, une porte de bois s'ouvrait sur cette minuscule chambre dont François avait parlé. Une ampoule nue au plafond éclairait la pièce blanchie à la chaux qui pouvait avoir deux mètres de large sur trois mètres de long. C'était une cellule dont le bas des murs était auréolé de vagues d'humidité et de salpêtre. Un lit de camp, une chaise paillée, un œil-de-bœuf pour la lumière du jour… Le chauffage était assuré par le conduit d'une cheminée qui montait d'une chambre juste en dessous, il occupait quasiment la longueur du cagibi. Penchée au-dessus du lit, je posai à plat mes deux mains sur ce conduit, il était tiède.

Un sac de couchage était plié avec soin au pied du lit, à même un matelas maigre, sans oreiller. Sur une étagère d'angle, une timbale en inox, une brosse à dent et un tube de dentifrice, une boussole, quelques crayons de papier mais pas de papier, une lampe de poche puissante. Je m'agenouillai pour regarder sous le lit. J'y trouvai un casque, je pensai à un casque de spéléologue car il était équipé d'une lampe. Je tirai également de dessous le lit une boîte en bois sans couvercle, de la taille d'une boîte à chaussure. À l'intérieur je trouvai une loupe, une autre boussole, une carte de la forêt de La Montagne, sans marque ni annotation.

Aucune trace du râteau, de la pioche et du sécateur achetés chez Mlle Cécile.

Éric :

— Un dissimulateur de base… Il était costaud n'est-ce pas ? Mais à l'aube il filait comme un chat, personne ne l'entendait ni partir, ni revenir le soir, il passait par-derrière, on savait qu'il était là à cause de la lumière qu'on voyait de la cour. Il ne participait pas aux fêtes. Parfois, il s'arrêtait un moment pour prendre un verre, s'asseyait au coin de la cheminée, répondait poliment aux questions… Des réponses très sobres… Mais lui, il n'en posait jamais… Et pour ce qui est des filles, si une seule avait fait un stage dans son lit, ça se serait su, pour qu'entre nous les choses se cachent faut quand même essayer… Et pourtant il n'avait qu'à lever le petit doigt, les filles lui auraient sauté dans les bras… Il les regardait bien, très bien même, mais il ne touchait pas. On s'est moqué de lui une fois mais on n'a pas recommencé… Ce n'était pas quelqu'un dont on se moque, vous voyez ce que je veux dire ?

François :

— Bien, on redescend ? C'est bon ? On laisse ses affaires ici Mathilde ?

— Oui, je pense que dans la semaine sa famille viendra… Sa mère, ou son frère, ou sa sœur… Il a un frère ou une sœur, le cordonnier s'en est souvenu. Laissons tout comme ça pour eux.

Comme nous descendions, François :

— S'il n'y a personne ici, la voisine a la clé. Elle ne bouge jamais de chez elle, s'ils doivent venir récupérer ses trois trucs…

— Bien. Vous le voyiez souvent avec ce livre alors ?

— Oui, il venait toujours avec, il l'avait dans son sac à dos ou, quand il n'avait même pas de sac à dos du tout, à même la main, c'était son bagage ! Il n'était pas sale hein, il prenait la douche mais il n'avait pas de serviette de toilette par exemple, il se rhabillait tout mouillé, aucun souci du confort ce type-là… Vous prenez un verre avec nous ?

— Oui.

Quand nous pénétrâmes dans la pièce commune, le silence, cette fois, se fit.

François prit la parole :

— Les amis, voici Mathilde, relieuse à Montlaudun. Pascal lui avait confié son livre… Vous savez, le fameux livre avec lequel il se baladait tout le temps. Eh bien… Il ne reviendra pas le chercher.

186

Pascal est mort. Notre oiseau rare a été percuté par un camion lundi matin sur le parvis de la gare, il retournait à Paris.

Silence.

— Je vous propose, et de toute façon cela va de soi, une minute de silence, en souvenir de lui.

Je suis sortie, je craignais de très mal me tenir. Toute seule ou en pleine forêt, je pouvais me raconter des histoires, même devant son corps à l'hôpital à côté de Sébastien qui me poussait vers lui, je pouvais prétendre : mort et sans odeur, il se ressemblait si peu. Mais dans le recueillement collectif autour du vide qu'il laissait, la réalité de sa mort ne faisait plus de doute.

ROXANE
Je sens sa joue devenir froide, là, contre la mienne. [...]
Une lettre sur lui ! [...]
Cyrano, restez encore un peu.
Il est mort. Vous étiez le seul à le connaître.
N'est-ce pas que c'était un être exquis, un être merveilleux ?
CYRANO
Oui, Roxane.
ROXANE
Un poète inouï, Adorable ?
CYRANO
Oui, Roxane.
ROXANE
Un cœur profond inconnu du profane. [...]
Une âme magnifique et charmante ?

CYRANO
Oui, Roxane.
ROXANE, se jetant sur le corps de Christian
Il est mort !

Dans le parfum des arbres et de la terre, seule, au pied de la tour, c'était plus supportable, tout naturel d'habiller la mort d'images et de mots, de la déguiser. Là, une idée me vint, celle que de s'être séparé de son livre en me le confiant l'avait tué.

François vint me chercher, un verre de bordeaux qu'il me destinait à la main. Il me le tendit et me guida jusqu'à la maison. Je m'assis au coin du feu comme Pascal l'avait fait une semaine plus tôt.

Je ressentais tout, pour et par lui, le vin aidant, c'était sa peau qui éprouvait la chaleur du feu, ses yeux qui à travers moi voyaient les couleurs, le volume de la pièce, la perspective sur la cour.

On m'entoura bientôt pour parler de lui. Ils l'avaient tous connu, mieux et plus que moi, pourtant c'est à moi qu'ils le racontaient, vers moi que débouchaient ces souvenirs comme autant de ruisseaux, des souvenirs de frôlements, de l'avoir vu de loin dans la forêt ou aperçu au matin dans la brume quitter le moulin.

J'appris qu'il passait le samedi et le dimanche, quel que soit le temps, "là-haut", car il prenait toujours la direction du sommet. Le moulin était à peine à mi-pente, il restait un énorme territoire à parcourir. Il partait les mains vides, ne cueillait rien en chemin.

Je leur demandai s'il partait toujours en forêt équipé de cette lampe que j'avais vue dans sa chambre, s'il revenait les vêtements salis. Pratiquait-il la spéléologie? Y avait-il des grottes là-haut?

Parfois oui, parfois non.

Je leur demandai si les uns ou les autres l'avaient déjà raccompagné en voiture à Paris. On me dit que bien qu'il préférât son indépendance et voyager en train, c'était arrivé quelques fois. Il avait toujours demandé à être laissé à la fontaine Saint-Michel. Personne ne savait où il habitait.

Ils disaient le peu qu'ils en savaient, parlaient avec profusion de ce qu'ils en imaginaient. Les filles restaient le plus souvent silencieuses, elles racontaient aussi mais plus sobrement que les hommes, ne s'attardaient pas, elles rêvaient cette mort, comme elles l'avaient rêvé lui vivant?

Le vin était bon.

Les questions s'élevaient au rythme des voix, on répétait les mêmes plusieurs fois, sans réponse.

Plus les flammes étaient hautes, plus les esprits étaient échauffés par le vin, plus Pascal était grand, formidable, un ermite, un sage, et moi un peu grise, érigée en dépositaire de sa mémoire. J'étais aux anges. J'oubliai le viol de l'atelier et la désaffection de mes clients.

Je quittai le moulin vers deux heures du matin, j'y laissais "mes gens", les Parisiens, aux caractères plus flous, moins rugueux que ceux de la ruelle. Des jeunes professeurs, des ingénieurs, un courtier, un éternel étudiant en droit, des largués touche-à-tout, des célibataires, des jeunes mariés, tous entre vingt-cinq et trente-cinq ans, tous cherchant un moyen d'échapper à leur vie – ce que ceux de la ruelle n'avaient jamais songé à faire. Tous, à part François, informaticien, qui me raccompagna à la camionnette.

Je me glissai loin de ses bras qu'il voulait refermer sur moi. Sans dépit, il me dit en m'ouvrant galamment la portière, sur le même ton d'autorité tranquille qu'il avait dit tout le reste : "Je rêverai quand même de toi."

À n'en pas douter, le chef de la tribu le ferait.

Pour l'heure, j'ouvris ma vitre, mille mètres plus loin, chaque arbre faisait écho à son nom : "Pascal."

Trouver le sommeil ne fut pas aisé.

Quelqu'un était à Bordeaux qui était venu de loin pour lui.

J'avais cherché sur l'annuaire. Il y avait des Lucas à Bordeaux mais, selon Sébastien, ils n'avaient rien à voir avec leur famille. Et puis pourquoi parier que ce soit quelqu'un de sa famille, c'était peut-être une femme, étrangère. Comment la retrouver ?

La forêt de parfums, celle de l'incendie, celle du moulin et celle du livre du fanum n'en faisaient peut-être qu'une. Ce petit voyage du lendemain me l'apprendrait ou balaierait ces liens comme un rien et tout resterait ouvert comme au premier matin.

Je ne pensai même pas à ce quelqu'un qui avait la clé de l'atelier. Le vin. Je m'endormis, ne craignant plus grand-chose.

XV

À huit heures trente le lendemain matin, un couple de Parisiens vint comme convenu déposer quatre livres de Jules Verne : des éditions Hetzel, deux en très mauvais état et deux dont seuls les dos des couvertures étaient à recoller.

Les clients vite partis, je disposais de cinq minutes avant de prendre le chemin de la gare. Je feuilletai pour patienter les volumes qu'on venait de me remettre. J'arrêtais le défilé des pages sur les images d'hommes barbus, drapés comme dans des toges de chemises blanches gonflées de vent et qui m'impressionnaient quand j'étais enfant. Ils n'incarnaient ni mon père ni mon grand-père mais des demi-dieux, aux manches roulées jusqu'aux coudes sur des avant-bras virils, maintenant la barre d'un grand navire.

Ils étaient beaux même en haillons, échevelés, dressés à moitié nus contre des créatures dantesques, surgies d'éléments déchaînés, qu'ils dompteraient. Au pire, ils laisseraient derrière eux une ou deux victimes expiatoires sans conséquence pour le fil de l'histoire.

À neuf heures j'étais dans le train pour Bordeaux, le livre du fanum reposait dans une sacoche de cuir, couché sur mes genoux. Le morceau de charbon à faire analyser avait pris place dans le coffret de montre de mon grand-père qui n'attendait que ça au coin de mon bureau, vacant et ouvert.

J'avais traversé le parvis de la gare, vu de loin le rayon noir des traces de pneus interrompu net au lieu de l'impact.

Je partageais le désert du wagon de l'express avec trois statues de sel. Nous occupions harmonieusement le vide, assis à équidistance les uns des autres. Drôle de race dont les spécimens se cherchent ou s'évitent selon une alchimie obtuse. Chez les animaux, les règles de fréquentation entre congénères sont beaucoup mieux établies. Pascal semblait avoir tranché, lui.

La veille, j'avais tiré de sa naphtaline un de mes deux portables. Je l'emportai avec moi, rechargé, réactivé. J'avais distribué juste avant de partir mon numéro à mes amis de la ruelle. Dans le train, j'intégrai le numéro de téléphone de François, d'André, de Sébastien, de Mlle Billon. Je fis défiler sur l'écran gris les noms de ceux qui, avant, accompagnaient ma vie à Paris. La liste épurée des individus que je n'appellerai plus jamais, il ne restait que huit "contacts", quelques docteurs, un libraire, un relieur et mes parents. Je gardai le numéro de téléphone de mon grand-père que j'étais incapable d'effacer.

Je ne lus pas. Je flottais, de la trésorerie calamiteuse de l'atelier, aux deux sorcières de la ruelle, puis des sorcières à mon voleur qui – quel aveu – n'avait rien trouvé à me prendre, de M. Roche à l'hôpital, de l'hôpital à sa réceptionniste qui m'avait tout à l'heure encore confirmé que Pascal n'avait reçu aucune visite.

Je me repassais le film de la soirée au moulin.

Tout le monde s'étant mis à la recherche de l'identité de Pascal, sa famille l'emporterait avant mercredi… À moins qu'il n'en ait pas ?

J'avais espéré d'abord qu'il en ait une. Je ne faisais plus que l'admettre maintenant. J'avais fait ma part. Je pouvais le nommer, d'un prénom que j'étais allé chercher.

J'avais appris beaucoup sur lui en l'espace de quelques jours. Mais sur son lien au livre, rien. C'est ce lien auquel je m'attacherais dorénavant. Pourquoi parlait-il si bien des soins dont cet objet avait besoin sans oser devant moi le regarder, comme s'il allait le trahir ?

Fin septembre, début octobre, c'est le temps des anniversaires : le premier de l'ouverture de l'atelier et quasiment jour pour jour le deuxième de la mort de mon grand-père.

Les jours noirs, très loin du jardinet, je peux voir un oiseau au ciel planer librement mais ce sont les battements d'ailes de celui qui fut mangé dans le jardinet que j'entends. Je hais ce chat mais ce sont les oiseaux qui me font peur. Je maudis le camion, mais c'est le ruban noir du parvis de la gare qui me fait peur.

Le livre du fanum ne me fait pas peur, il est inexplicablement à la fois aimable et lourd de deuil.

Je ne crois pas que Pascal se soit précipité sous le camion, je crois qu'il ne l'a pas vu venir, pas entendu, que les garde-fous, l'instinct de vie, étaient éteints. Il n'y aura pas d'autopsie puisque l'observation de la boîte crânienne et de l'hémorragie a suffi aux médecins pour confirmer la mort accidentelle.

Pascal était malade. Physiquement peut-être. Dans sa tête sans doute y avait-il longtemps qu'il était étranger à tout ce qui fait la vie des autres. Cet air de tomber de la Lune… Vraiment, il me semblait que la séparation d'avec ce livre aurait pu suffire à rompre le dernier petit fil qui le retenait ici-bas.

DE GUICHE
D'où tombe cet homme ?
CYRANO
De la Lune ! [...]
DE GUICHE
N'a-t-il plus sa raison ?
CYRANO
Quelle heure ? Quel pays ? Quel jour ? Quelle saison ? [...]
Il y a cent ans, ou bien une minute
J'ignore tout à fait ce que dura ma chute !
J'étais dans cette boule à couleur de safran !

Le train entrait en gare. Je me promis, même sans le sou, de m'offrir un jour prochain, un voyage…

J'avais bien le plan de la ville ouvert en main mais optai au dernier moment pour le taxi, pour me laisser conduire. Je flottais encore un peu.

Au souvenir de sa voix, je m'attendais à voir s'ouvrir la porte du laboratoire sur une femme de mon âge. En réalité, elle devait avoir vingt ans de plus que moi.

Le ciel était bas, la lumière mal assurée et mate, alors quand la porte s'ouvrit, par contraste, cette femme m'apparut baignée de lumière. Certes, le laboratoire était très éclairé et elle portait une blouse blanche. Mais elle, était lumineuse : yeux bleus, clairs, grande et droite comme une bougie. Sa belle main longue et délicate m'engagea à entrer et fit honte à mes mains aux ongles rongés, toujours marqués ici ou là d'une coupure de couteau à parer et d'un point de sang laissé par une aiguille… Elle, me fit l'effet d'une reine, moi, d'une vagabonde.

— Mathilde ? N'est-ce pas ?
— Oui.
— Solange, Solange Charpentier, enchantée.
— Enchantée.

Comme au téléphone, nous nous entendîmes d'emblée. Rien en elle qui ne m'évoque les statues de sel : alchimie rare d'être auprès d'un inconnu comme chez soi.

Elle me fit asseoir près d'elle sur un tabouret haut. Je l'observai braquer ses yeux au microscope, concentrée sur le petit dé noir de bois calciné. Je m'attachai sans plus de gêne, moi, à la regarder elle, à m'attendrir alors qu'elle fronçait les paupières, de voir à la commissure de l'œil, la peau s'iriser de rides qui couraient en éventail vers ses tempes. Je notai ses cheveux prématurément gris, presque blancs, le chignon enroulé sur la nuque, sans contrainte, posé sur le col lisse de la blouse et traversé d'une épingle d'argent décorée d'une perle à son faîte. À part ce bijou, rien qu'une alliance.

Il ne lui fallut que quelques instants pour me déclarer que le vestige trouvé dans le livre provenait d'un châtaignier, qu'il y en avait partout autour de Montlaudun et au-delà dans tout le Sud-Ouest. Solange me parlait de l'arbre caché derrière le dé noir qu'elle maintenait au bout d'une pince, et le rendez-vous, au lieu de s'arrêter là, commença.

Elle racontait qu'elle allait aux champignons, un prétexte si elle en avait besoin, pour passer la moitié de son temps au milieu des bois. Aux pieds des châtaigniers poussaient toujours de nombreuses variétés de champignons. Beaucoup de plantes, de créatures, s'invitaient à leurs suites, le chèvrefeuille, les insectes, les oiseaux, les rongeurs, les sangliers, les hommes en tout temps et particulièrement de famine.

J'avais une anecdote aussi à propos de châtaignes.

Je viens du nord de la Loire, il y a des châtaigniers, mais peu, et fragiles, mon grand-père en avait un qui avait résisté aux maladies et au gel. Tout des contrastes de cet arbre l'émerveillait : au printemps, la beauté de ses fleurs mâles duveteuses, à l'automne, ses bogues épineuses, sa qualité de mâle et de femelle, sa fragilité et sa force, son bois résistant mais souple, un arbre de pauvres mais des plus généreux.

Je racontai à Solange mes vacances de Noël quand j'étais enfant. Au moins un soir était réservé à célébrer la châtaigne. Mon grand-père épluchait les châtaignes pour ses femmes : la sienne, sa fille et moi. Mon père ne les aimait pas, il proclamait pour agacer mon grand-père que cette matière pâteuse était de "l'étouffe-chrétien". Ma grand-mère et ma mère étaient reparties à leurs affaires depuis un moment déjà que j'étais encore debout à côté de lui et continuais à ingurgiter, résolue, toutes celles qu'il posait devant moi.

Ma mère repassait sans trop tarder : "Papa, arrête de l'encourager à en manger, tant que tu en éplucheras, puisque c'est toi, elle le fera, tu vas finir par l'étouffer cette enfant !"

Mon grand-père me regardait du coin de l'œil et, à la vue de mon air gavé, baissait résigné son couteau triste, s'étirait le dos contre le dossier de la chaise en maugréant : "Comme si deux petites poignées de châtaignes pouvaient faire du mal…"

Pour me faire digérer avant d'aller au lit, on faisait une bataille d'épées.

Solange souriait encore de mon récit quand, sans transition, je lui remis le livre du fanum dans sa pochette de cuir. Elle le reçut dans ses mains tendues et faillit le laisser tomber. Elle l'avait cru plus léger.

Dès qu'elle eut tourné la première page, son sourire s'effaça. J'allai à la fenêtre.

— Qui a fait ça ?…. Ces aquarelles sont d'une beauté ! Vous voulez savoir si ce bâtiment existe et où il se trouve ?

— Oui, peut-être.

— Montrez-le, Mathilde. Je vous accompagne jusqu'au chantier de fouilles. Allons déjeuner d'abord, il est plus de midi.

— Déjà ? Mais qu'en pensez-vous ? La forêt qui entoure le fanum est-elle réaliste ? L'ensemble des arbres, de la végétation, est-ce une invention ?

— Non, c'est cohérent, pins, chênes, châtaigniers, c'est typiquement la forêt autour de Montlaudun et au-delà du Périgord.

— Si la forêt est réelle, il y a donc des chances que les ruines le soient aussi ?

— C'est l'impression qu'on a d'emblée, en tout cas pour le milieu naturel décrit, c'est certain, maintenant les archéologues vous diront tout de suite si cette construction est historiquement crédible ou non.

— Je ne suis plus si sûre de vouloir les rencontrer…

— … Comme vous voudrez Mathilde. Je ferme le laboratoire et si vous voulez bien nous irons déjeuner.

Elle refusa d'être payée prétextant que cela ne pouvait même pas être qualifié d'analyse tant elle avait coulé de source.

Je l'invitai au restaurant, je choisis l'indien d'une rue piétonne au cœur de la ville. On nous conduisit jusqu'à un petit salon rouge et or qui nous soufflait des accords de cithare de derrière ses velours.

Nous étions à peine installées qu'un gazouillis de robot nous interrompit. D'abord, je ne reconnus pas ce son métallique et aigu mêlé aux accords de cithare.

C'était mon portable. André. Gisèle s'était rappelée de conversations entendues dans son enfance et avait compris que le point commun entre les noms de la liste était que ces hommes avaient été membres de la Résistance. Elle avait porté dans la matinée la liste à Mlle Billon parce qu'elle était plus âgée, parce qu'elle était jeune fille pendant la guerre. Mlle Billon avait confirmé les souvenirs de Gisèle. Concernant la signature tremblée, elle avait dit d'abord n'en rien savoir. Puis elle avait demandé à la revoir, à la revoir encore. Cette signature, elle l'avait déjà vue, il y avait longtemps, mais où?

Une demi-heure plus tard, Mlle Billon était entrée à la boulangerie, triomphante, un papier jauni en main :

— Je sais, j'ai trouvé, c'est la signature du maire. Je veux dire du précédent maire. Le père de l'actuel Claverie… Regardez c'était dans les papiers de mon père, une lettre de Claverie signée ici… Remontrez la liste Gisèle… Oui. Toute tremblée mais c'est bien ça. Une chose m'étonne. Celui-là n'a jamais fait partie de la Résistance… Tout le contraire même…

C'est alors seulement que je racontai à André l'altercation que j'avais eue le lundi, dans mon atelier, avec M. Claverie qui s'était emporté en voyant la liste sous le presse-papiers. Il avait évidemment reconnu la signature de son père. Il voulait que je jette ce papier. Lorsque je lui avais dit que c'était impossible et que je devais l'intégrer à la reliure, il était devenu violent… Je ne comprenais toujours pas : son nom apparaissait aux côtés de résistants, pas de quoi s'en offusquer…

André avant de raccrocher avait tonitrué :
— Qu'est-ce que le vieux Claverie a manigancé, un type qui a trempé dans le marché noir jusqu'au cou, son nom à côté de résistants, mon œil ! On n'a pas assez de son fils pour les entourloupes et les grimaces !
— Ne dis rien, André, ne le provoque pas, j'ai cette foire dans dix jours, si je ne trouve pas de clients, si Claverie est contre moi, je mettrai la clé sous la porte, ce sera fini…
— Mais il est déjà contre toi. Je comprends maintenant, c'est lui, j'en mettrais ma main au feu, qui attise les ragots, qui les a initiés… Je comprends pas pourquoi mais tout a commencé en début de semaine à la mairie de Montlaudun. Il faut qu'on sache ce que c'est que cette liste, il y a encore quelques vieux… Mais sur le temps de guerre ce n'est pas si simple d'avoir des informations sur ce qui s'est réellement passé. Les comportements foireux pendant la guerre, les règlements de compte à la Libération n'ont été à l'honneur de personne, alors les vieux restent flous, parce que si ce n'est pas eux qui ont été minables, peut-être leur frère, un cousin, le beau-père… Allez change-toi les idées aujourd'hui, repose-toi un peu de tout ça. Passe ce soir. On aura peut-être des nouvelles.

Vin, curry, thé, menthe, loin de Montlaudun, de l'atelier en danger, de Claverie et du jardinet… Fraîcheur du gingembre, parfum acidulé de la coriandre. Je recommandai du vin et je racontai à Solange tout ce que je savais de Pascal, sa solitude, son évanouissement dans mon atelier, sa mort, les parfums de forêt dont il était imprégné. Je lui racontai La Montagne où il passait son temps, vers le sommet, là où personne n'allait parce qu'il n'y avait pas de chemin.

Enfin, nous reparlâmes du livre. Solange me racontait qu'en France on estime que tous les cinq cents mètres un site potentiel est recouvert. La loi oblige toute personne qui fait une découverte fortuite à la déclarer auprès de sa mairie, c'est la loi, pas toujours respectée : elle me racontait comment un de ses oncles agriculteurs avait senti, dans différents champs du même secteur, l'avant ou l'arrière de son tracteur s'enfoncer de façon totalement inexplicable au vu du terrain. Un souterrain courait en dessous sur des kilomètres, reliant tel monastère à tel château. D'autres paysans le savaient également et se gardaient bien de prévenir la mairie, le maire étant peut-être d'ailleurs exploitant lui-même et comme les autres, peu enclin à voir fourrager les archéologues dans ses champs.

Solange me racontait aussi que tous les ans des sites étaient redécouverts. Des ruines signalées au XIXᵉ siècle étaient restées inexploitées faute de moyens. Les quelques mètres carrés qui avaient pu être dégagés par l'explorateur avaient très vite été recouverts par la végétation puis étaient retombés dans l'oubli. Cela pouvait être le cas de ce fanum.

De quoi me mêlais-je? Qui étais-je pour aider à dévoiler l'existence d'un lieu que l'auteur des croquis et Pascal peut-être auraient voulu tenir secret…

Solange me convainquit d'aller jusqu'au site archéologique du centre-ville, d'entendre les commentaires des archéologues sans rien dire d'abord du site probable.

— Et s'il se tourne vers vous pour l'expertise de la végétation autour?

— La forêt du Périgord est vaste, ne parlez pas du moulin ni de La Montagne.

— Oh, alors vous pensez que le fanum serait tout près?

— Vous ne le pensez pas, vous?

Il était deux heures passées quand nous sortîmes de notre cocon de velours rouge. Quelque part dans cette ville, quelqu'un attendait que l'heure définitive du rendez-vous lui soit fixée. J'avais trop de peine à penser que c'était quelqu'un qui l'avait aimé, qui ignorait encore que Pascal était mort. Comment prévenir cette personne?

J'avais dit à Solange mon envie de voyage et ma résolution de m'organiser pour pouvoir partir bientôt, une semaine, hors d'Europe, au Proche-Orient peut-être. Je lui dis en riant trop fort que mes moyens financiers ne rimaient pas avec mes ambitions mais que j'avais besoin d'y rêver.

Elle m'apprit que son mari travaillait à Alexandrie, qu'il était archéologue, spécialisé en archéologie sous-marine. Elle devait aller le rejoindre à Noël pour trois semaines. Elle m'invitait à l'accompagner.

Je m'enthousiasmais. Deux mois et demi pour y penser, me projeter au bord de la Méditerranée ! M'éloigner de l'atelier, le quitter, y revenir et que ce soit enfin un lieu de vie comme un autre et pas une chapelle… Car c'est ainsi, de cette autre ruelle où je marchais, loin de lui, que je me le représentai à cet instant.

Dans le quartier derrière la cathédrale on construisait un ensemble d'immeubles, un "familistère", façon années trente, revu et corrigé : appartements lumineux, bureaux, ateliers, jardins suspendus, grande cour intérieure, garderie…

On approchait du site, Solange m'en présenta les enjeux. Des vestiges de la cité gauloise des origines avaient été découverts lors des premières excavations. On avait arrêté les travaux du futur.

Les grands bras des grues s'étaient figés, pour qu'en dessous, dans les fosses, on caresse la terre d'un pinceau à la recherche d'un soubassement, d'un éclat de verre, d'une poterie ou d'un anneau. Le temps est compté au passé, les grues piaffaient. On appelle cela de l'archéologie de sauvetage.

Solange me racontait les tiraillements qui sous-tendent le monde des archéologues, les places comptées au sein de l'organisme d'État. Qui paye pour les chantiers ? Combien de temps les fouilles peuvent-elles durer ? L'investissement des bénévoles – chers bénévoles – dans toute l'affaire : la seule constante. La grande majorité des archéologues voyagent, de fouilles en fouilles, d'un contrat indéterminé à un autre, en urgentistes de la mémoire, en nomades.

Au bout de cette ruelle qui ressemblait à la mienne, mon regard plongea sur un immense bassin de terre, d'une centaine de mètres de long et de trente de large, encadré de bâches bleues roulées. Un tiers de ce bassin était creux de quatre mètres. C'est là, au fond de la fosse, qu'une vingtaine de personnes à genoux s'affairaient.

Le sol de la fosse était parsemé de formes géométriques délimitées par des ficelles tendues entre de petits pieux. À l'extérieur de ces limites arbitraires, obscures à l'œil du profane, des hommes et des femmes, les yeux rivés au sol, le dos cassé, caressaient la terre de leurs pinceaux. Debout, d'autres numérotaient, dessinaient, donnaient des traits à ce que je ne discernais pas.

Le livre serré contre ma poitrine et le vin peut-être aidant, je me défiai de ces gens : des gourous, des magiciens qui s'accapareraient le livre sans que je ne puisse jamais plus le leur soustraire si je leur en montrais un coin.

Solange empruntait déjà l'échelle, m'engageant à la suivre. Je prétextai que je ne pouvais pas lâcher le livre, qu'il était trop lourd à porter d'une seule main. Je l'attendrais là.

Mais cette excuse ne m'exonéra pas, elle me désigna la passerelle qui à l'autre extrémité du chantier descendait par circonvolutions jusqu'au fond.

J'empruntai donc la passerelle dont l'inclinaison me fit cabrer, comme dans la rue de l'hôpital à l'atelier.

Je saluai timidement les gens dont je croisais le regard, j'avais peur qu'ils me demandent ce que je faisais là, peur d'être prise en faute ? Pourquoi ?
"Qu'est-ce que vous portez sous le bras ? Un trésor archéologique dissimulé, c'est interdit par la loi !"
Qu'est-ce que Pascal aurait dit s'il avait pu me voir exhiber ainsi son livre ?

À petits pas, contournant les carrés de ficelles, j'arrivai soulagée à la hauteur de Solange, comme un nageur à une bouée. Elle saluait l'un des deux archéologues responsables du chantier. Voyant que je ne me décidais pas à prendre la parole, elle le fit à ma place :
— Je te présente Mathilde Berger, elle apporte un très beau livre, il faut que tu le regardes.
— J'ai les mains pleines de terre là, vous pouvez m'attendre trente minutes ? Je termine de travailler sur ce petit carré de terre et je suis à vous. On ira prendre un café à côté. Vous pouvez m'attendre au bar… où si vous préférez, restez avec nous, pas de problème. Ah, Solange, je voulais te présenter Sylvain, où est-il "Superman" ? Tu sais c'est ce jeune gars, tout-terrain, il a son brevet de pilote, donc il repère les sites vus du ciel, son brevet de plongeur, donc archéologie sous-marine, c'est lui qui part dans trois semaines à Alexandrie rejoindre ton Pierre, tu le verras là-bas à Noël, là il rentre du Pérou… Il

faut que tu le rencontres. Bon sang… Il était là il y a une minute…

Je voulais que le fanum existe. Après avoir relié le livre, je rêvais de voir ressortir le fanum de la terre.

Je regardais ces gens, la plupart très jeunes, des étudiants, flatter la terre en silence. Je m'attachais à suivre la méticuleuse mise au jour de la jeune femme qui travaillait tout près de moi. Qu'allait-elle dégager de cette motte de terre informe ?

DE GUICHE
… Avez-vous lu Don Quichot ?
CYRANO
Je l'ai lu.
Et me découvre au nom de cet hurluberlu.
DE GUICHE
Veuillez donc méditer alors…
[…]
Sur les chapitres des moulins !
CYRANO, saluant
Chapitre treize
DE GUICHE
Car, lorsqu'on les attaque, il arrive souvent…
CYRANO
J'attaque donc les gens qui tournent à tout vent ?
DE GUICHE
Qu'un moulinet de leurs grands bras chargés de toiles
Vous lance dans la boue !….
CYRANO
Ou bien dans les étoiles !

La demi-heure passa trop vite, l'archéologue en chef était à mon goût trop pressé de prendre son café. J'avais l'impression d'aller passer une audition et je n'aimais pas la désinvolture avec laquelle il allait aborder le livre du mort.

On remonta tous les trois en procession la passerelle. Sans attendre d'être installée au café, je sortis le livre de sa sacoche de cuir. Autant en finir. Nous étions sur le trottoir juste en haut de la fosse, quand une voix de loin, à l'autre extrémité, là-bas au pied de l'échelle…
— Vous me cherchiez?
— Ah le voilà, Sylvain! Viens!

L'homme marchait droit sur nous, s'approchait beaucoup trop vite.
Je me souviens m'être tournée vers Solange pour voir si elle existait toujours, puis j'ai regardé mes pieds, pour voir si la terre était dessous.

Ce n'était pas "Sylvain"! C'était Pascal. Personne ne comprenait-il, n'y avait-il que moi pour voir cette sorcellerie?!
Les cheveux plus courts peut-être… Et sans rien qui rappelle l'étrangeté lunaire de l'autre jour, cet homme-là avait les pieds sur terre, certes, mais c'était lui, c'était le même. C'était le vin, l'accumulation d'émotions ingérables, mon envie, mon incapacité, ma frustration de ne pouvoir parler aux morts qui forçaient cette vision. Mes oreilles bourdonnaient.

Il sortait de la fosse, remontait la passerelle. Ma vue noircissait à mesure qu'il approchait, ma bouche était sèche comme si j'avais dormi cent ans.

Je voulais m'en aller mais j'avais comme pris racine.

Il arriva à notre hauteur…

— Sylvain, viens que je te présente Solange, la femme de Pierre, viens!

L'homme qu'on appelait "Sylvain" s'inclina devant Solange mais sans la voir, parce qu'il avait déjà les yeux braqués sur le livre que je tenais. Je n'y voyais presque plus et ne respirais pas. Condamnée, j'attendais la sentence.

Il leva les yeux sur moi, je me rappelais trop bien leur couleur noisette, presque verte… mais le regard était si noir!

— Qu'est-ce que c'est que ce livre, où avez-vous trouvé ça?

L'archéologue en chef :

— Sylvain, qu'est-ce qui te prend!

"Pascal-Sylvain" pointait son doigt vers moi comme un juge.

— Où avez-vous trouvé ce livre?!

De peur, j'ai reculé d'un pas. Du reste je n'ai plus le souvenir.

XVI

La passerelle s'est révélée très utile aux brancardiers qui sont venus me recueillir au fond de la fosse pour me déposer dans une coquille.

Heureusement, la terre, à cet endroit, était grasse, meuble. J'étais tombée à plat sur le dos, sur environ deux mètres et avais perdu connaissance à peine deux minutes.

Je me rappelle en ouvrant les yeux dans ma chambre d'hôpital, avoir eu peur d'avoir perdu la mémoire, je me répétais que je m'appelais Mathilde Berger, relieuse à Montlaudun.

Solange était à mes côtés.

Si j'avais un souvenir, juste après la chute, c'était une sensation physique, pas de douleur, celle du poids du livre du fanum sur mon ventre.

— Où est le livre ?

— Je l'ai remis dans la sacoche, tu l'as tenu si bien serré contre ta poitrine qu'il ne s'est même pas sali.

— Où est cet homme ?

— Ne t'inquiète pas.

— Qui est cet homme ? Garde le livre, promets-moi de ne pas le donner. Je ne sais pas qui est cet homme, il est mort, c'est Pascal, mais il est mort, je l'ai vu à la morgue. Je ne comprends pas. Ne le montre à personne, à personne… Il veut le prendre…

— Calme-toi, je te promets.

Les examens complets prirent du temps.

Solange me quitta pour téléphoner à mes parents, à André. Comme elle partait, je l'entendis parler de l'autre côté de la porte, sans doute à ce "lui" que je redoutais, que je sentais tout près.

On me garda pour la nuit. Je n'avais rien de cassé, les ligaments du cou étaient secoués, j'avais des contusions et le dos labouré, rien de sérieux. Quelques heures après mon réveil, je n'arrivais toujours pas à bouger, à part les bras. J'étais "traumatisée" par ma chute mais aucune lésion ne laissait supposer que cet état de paralysie allait durer.

J'étais pétrifiée. J'essayais mais je ne pouvais plus bouger. À peine y parvenais-je que mon dos se crispait en une crampe insupportable.

Les médecins m'assuraient qu'il n'y avait aucune raison de s'inquiéter, qu'il me fallait être patiente.

Solange partit après avoir vérifié une ultime fois, à ma demande, que le livre était sur ma table de chevet. On me donna des calmants et je m'endormis aussitôt d'un sommeil sans rêve.

Le lendemain matin, on me maintint dans une position inclinée qui me permettait de soutenir mon dos en m'appuyant sur mes jambes. En pesant sur elles tour à tour, je retrouvai le contrôle peu à peu. Le kinésithérapeute de l'hôpital me guida et je repris peu à peu possession de moi. Mais je ne demandais rien à mon dos.

Solange et "lui" arrivèrent à dix heures.

Solange entra seule d'abord en reconnaissance. Elle avait le visage fatigué mais ses yeux étaient aussi lumineux que la veille.

— Mathilde, il s'appelle Sylvain, pas Pascal, Sylvain Lucas. Il est le frère jumeau de Pascal… C'est pour revoir son frère qu'il s'était enrôlé sur ce chantier à Bordeaux. C'est lui que Pascal devait rencontrer au moulin hier soir. Nous avons passé la soirée ensemble. Je lui ai dit ce qui était arrivé… La mort de son frère… Comment il se fait que tu sois en possession de ce livre qu'il a reconnu. Je lui ai dit que tu étais la dernière personne à qui son frère avait parlé, les recherches que tu as menées pour retrouver son identité. Il voudrait te parler avant de se rendre à la morgue de Montlaudun. Comment te sens-tu ? Tu veux bien le rencontrer ?

J'acquiesçai du menton, incapable de proférer le moindre son.

Il passa le seuil et comme Pascal, son frère, il occupait tout le passage de sa stature.

Je voulais bien croire qu'il n'était pas un fantôme, pourtant, je fus saisie par son image.

Il repéra le livre sur la table de chevet.

Il y avait une chaise, pourtant il choisit de s'asseoir au pied du lit, lentement, il s'y tassa, tout au bord.

— Bonjour… Mathilde.

Cette voix, au timbre identique à celui de son jumeau, qui disait mon prénom, m'émut tant ! Il détourna la tête et ne bougea plus, m'offrit son profil le temps que je m'habitue.

Je m'attachai à noter les différences, l'implantation des cheveux peut-être, ondulés quand l'autre les avait lisses, le timbre de voix était le même certes mais l'élocution était totalement différente, la corpulence était la même mais pas l'allure.

Moi :

— C'est hier qu'il devait revenir à mon atelier reprendre son livre restauré. Il voulait absolument qu'il soit prêt pour samedi. Solange m'a dit que vous deviez vous rencontrer hier soir… ? Avant de partir, il a dit que désormais on s'en occuperait bien, qu'il aurait une vie plus calme. Prenez le livre, il est à vous.

Il le prit sur la table de nuit et se rassit. Il ne le regarda pas.

— Combien est-ce que je vous dois ?

— Rien, Pascal a déjà payé.

— Solange m'a dit qu'il avait eu un malaise chez vous ?

— Oui, j'ai voulu appeler le médecin, mais il a insisté pour que je ne le fasse pas. Il avait l'air épuisé physiquement et lointain, mais il était très clair concernant le livre, sa restauration… Et l'autre chose très claire était qu'il voulait que le livre soit prêt pour hier… Je comprends qu'il le voulait, pour vous…

Ce fut son tour d'avoir les larmes aux yeux, de couvrir sa bouche de sa grande main et de crier un long cri silencieux. Sa tête retomba sur sa poitrine. Il resta ainsi, la bouche bandée, penché, les yeux ouverts et embués sur le livre fermé. J'entendais le rythme accéléré de sa respiration, j'aurais trouvé presque naturel que lui aussi à son tour, glisse.

Quand il se redressa :
— Je vous demande pardon pour hier. Pour moi ce livre avait disparu dans l'incendie du moulin il y a vingt ans en même temps que mon grand-père… Et comme il ne pouvait y en avoir qu'un, j'ai été aussi surpris par vous que vous l'avez été par moi. Je sais par Solange, au moins en partie, ce que vous avez fait pour tenter de retrouver l'identité de mon frère et pour remettre le livre à sa famille… Restez aujourd'hui encore ici, ne précipitez pas votre sortie. Demain je vous ramènerai à Montlaudun, si les médecins le permettent. Je pars pour Montlaudun tout de suite, je vais aller à l'hôpital… Je repasserai vous voir ce soir s'il n'est pas trop tard ?
— Oui… Et le livre ?
— Je peux le laisser là ?
— Bien.

Toute la journée, on me dispensa des soins. On me manipula jusqu'à ce que mon corps se laisse faire. Avant de se remettre en marche et pour surmonter le traumatisme, il fallait en passer par une étape étrange : prétendre abdiquer, faire la morte, ne pas résister. Je m'entêtais et il avait fallu toute l'obstination des infirmiers qui répétaient à l'infini : "Ne résistez pas, laissez-vous faire!"

De guerre lasse, en milieu d'après-midi, je marchais.

Je pourrais partir le lendemain. On m'avertit que j'allais, sauf miracle, souffrir. On me prescrivit le suivi au jour le jour d'un physiothérapeute la première semaine, puis au moins trois mois de massage et d'exercices réguliers.

Je craignais de voir arriver six heures et la fin des visites sans le revoir. Mais Sylvain, à dix-sept heures cinquante-cinq, frappait à ma porte.

— Je suis surprise qu'ils vous aient laissé entrer…

— J'ai bataillé… Vous allez mieux ?

— Oui, beaucoup mieux, j'ai fait des exercices toute la journée qui m'ont décrispé le dos, je peux marcher. Ma minerve et moi, on part demain.

Il s'assit au même endroit que le matin, au pied de mon lit. J'imaginai que Pascal prenait place ainsi au coin de la cheminée du moulin.

— Je vous ramène.

— Merci.

— Mathilde, vous voulez bien me raconter en détail le matin où il est venu à votre atelier ?

214

Je lui racontai la visite de Pascal, l'annonce de sa mort, l'absence d'identité, le livre qui sentait la fumée, la liste de camarades d'un réseau de Résistance mystérieusement cachée au dos du livre. Je lui parlai de Mlle Cécile et de ses souvenirs, de Sébastien, leur cousin, de ma visite au moulin où Pascal venait régulièrement. Je lui racontai ma visite dans la minuscule chambre d'ouvrier qu'il avait faite sienne. Je dis à Sylvain que, quel que soit le temps, il passait des heures seul en pleine forêt. Je parlai de Solange et du dé noir de châtaignier calciné qui m'avait amené jusqu'au bord du chantier de fouilles d'où lui, Sylvain, était sorti.

Les questions qu'il me posa après ce récit portèrent toutes sur le livre et le moulin, l'état du livre lorsque Pascal me l'avait remis, le réduit dans lequel Pascal avait choisi de dormir, ce que j'y avais vu, la description du moulin, sa tour, les gens de La Montagne…

Une infirmière lui demanda de partir.

— Je passe vous prendre demain matin à huit heures trente. Bonne nuit.

— … Vous ne reprenez pas le livre ?

— Demain.

Le lendemain, j'étais prête bien avant huit heures trente. J'avais fait mes exercices, je marchais beaucoup mieux que la veille, gardais le corset et la minerve. Je l'attendais assise au bord du lit.

L'infirmière qui vint me prévenir que Sylvain m'attendait à la réception porta le livre pour moi.

Elle le remit au jeune homme qui ne put faire autrement que de le prendre.

Je n'avais pu m'empêcher de dire : "Attention, prenez-le à deux mains, il est lourd."

Assise dans la voiture à ses côtés, minerve au cou oblige, j'étais dispensée des regards de biais. Nous regardions donc tous deux droit devant.

— Sylvain, vous voulez bien me raconter, à votre tour... Le livre du fanum ? Qui en est l'auteur ?

— Je ne sais pas qui en est l'auteur. Je sais qu'il appartenait à mon grand-père. Pourquoi l'appelez-vous le livre du fanum ?

— ... Mais parce que c'est le bâtiment qui y est représenté, dessiné, peint, à différents stades de sa construction... C'est un livre magnifique, chaque illustration est un tableau... Vous ne vous rappelez pas ?

— Je ne sais pas ce qu'il y a à l'intérieur. Ce livre, notre grand-père ne nous l'a jamais montré. Nous en voyions l'enveloppe mais il était toujours hors de portée. Même notre mère je crois n'a jamais su ce qu'il contenait. D'ailleurs elle en était exaspérée. Un jour, elle avait dit à mon grand-père qu'elle trouvait ses enfantillages et ses secrets ridicules, il en avait été blessé. On n'était pas descendu au moulin pendant quelque temps... Nous étions persuadés que ce livre avait été brûlé dans l'incendie de la tour... C'est ce qui m'échappe. Il y était. La veille, j'avais vu mon grand-père avec. Je m'en rappelle. C'est là que mon frère l'aura retrouvé récemment...

— Récemment ? Impossible... le livre a été beaucoup transporté, malmené, mais il n'a souffert d'aucune trace d'humidité. Vingt-cinq ans après, le toit de la tour étant effondré, votre frère n'en aurait rien retrouvé et je ne crois pas non plus qu'il ait été gardé dans un coffre hermétiquement fermé puisqu'il portait tous les stigmates de l'incendie comme l'odeur imprégnée dans la fibre du papier. Et puis le dé calciné de châtaignier... Si vous me permettez...

Je sentais sa nervosité monter.

— ... Allez-y! Continuez!

— Pascal ne regardait pas souvent le livre, ou s'il le faisait c'est paradoxal, car cela devait être avec beaucoup de soin. Les couvertures seules ont souffert d'avoir été transportées dans de mauvaises conditions. J'imagine qu'il glissait le livre sous des dessous de piles, lourdes, dans des valises, des armoires, ce qui a fait glisser les couvertures, a fini par déchirer les pages de garde aux charnières, mais les feuillets eux-mêmes n'étaient pas écornés, pas tachés... Le petit morceau de bois calciné était resté en place depuis le jour de l'incendie, moulé dans l'épaisseur de plusieurs pages... Pascal tenait à ce livre, mais comme vous, il n'aimait pas le regarder.

— Je ne comprends pas...

— Votre frère et vous étiez là le jour de l'incendie?

— Oui.

— ...

— Ma mère nous a éloignés... Ce jour-là moi j'ai été au-dessous de tout, je me cachais dans ses jupes. Pascal, lui, au contraire, il regardait, fasciné. Ma mère hurlait à mon grand-père de ne pas essayer de sauver quoi que ce soit, qu'il devait au contraire s'éloigner mais il y est retourné...

— Est-ce qu'il a réussi à sauver quelque chose ?

— On n'y voyait rien, il y avait une telle fumée… Je ne me rappelle que des cris d'angoisse de ma mère… Il est ressorti et s'est écroulé après quelques mètres. Pascal l'a rejoint en courant, ma mère hurlait et pleurait que des débris enflammés allaient leur tomber dessus. Moi j'étais hors jeu. Elle m'a forcé à m'asseoir et elle les a rejoints, elle tirait le corps de mon grand-père par les pieds pour l'éloigner de la tour, en même temps, elle criait le nom de Pascal qu'elle ne voyait plus derrière l'écran de fumée. Les pompiers sont arrivés, Pascal a réapparu très vite.

— Quel âge aviez-vous ?

— Neuf ans.

— Et vous ne pensez pas… que Pascal ait pu récupérer le livre des mains de votre grand-père au moment où il sortait de la tour ?

— Non, non, non, il a couru pour sauver mon grand-père, pour le suivre, ou, par un réflexe d'enfant… pour sauver nos vélos.

— Vos vélos étaient à l'intérieur ?

— Oui, la tour, c'était l'appartement de mon grand-père et il avait décidé de garer nos vélos dans la tour la nuit, juste à droite de la porte, on venait de les rentrer… Ma mère n'en voulait pas dans la maison et la porte de la grange était difficile à ouvrir pour nous… S'il avait récupéré le livre je ne vois pas pourquoi Pascal nous l'aurait… nous l'aurait caché… Il s'est montré courageux ce jour-là en courant au secours de notre grand-père et moi lâche… tellement lâche qu'après ça on ne s'est plus entendu, comme avant. Lui qui était plutôt d'un tempérament réservé, il l'est devenu encore plus, même avec moi à qui il finissait toujours par tout dire auparavant. Je me disais qu'il avait été déçu, qu'il avait eu honte de moi ce soir-là… Les vélos avaient fondu, pneus, carcasses… Comme tout le reste à l'intérieur. Il n'y avait plus rien dans ce cylindre, la toiture ouverte par la foudre, pfouff… une vraie cheminée, il ne restait plus rien…

— Si ce n'est pas le livre qu'il a récupéré, comment expliquez-vous qu'il ait échappé à l'incendie… puisque vous le saviez dans la tour et que rien n'a été épargné par les flammes, même pas vos vélos ?

— Mais vous me prenez la tête avec ce livre à la fin !

Il se gara sur le bas-côté méchamment, claqua la portière et sortit prendre l'air, il s'éloignait vite à travers champ.

Il avait raison. Moi aussi j'en avais assez de ce livre et des grands-pères qui meurent suffoqués par les flammes ou, comme le mien, moins dramatiquement en train de faire la sieste au pied d'un châtaignier.

J'avais dit ce que j'avais à dire, j'avais le droit de partir. J'étais fatiguée.

J'avais relié le livre, l'avais remis à son héritier légitime, après l'enterrement de Pascal, je pourrais tourner définitivement la page et donner toute mon énergie à la survie de mon atelier. J'étais très calme. Olympienne.

Je sortis de la voiture avec précaution, une fois en position debout, je me mis en marche, un peu raide encore. Je respirais calmement, ne pensant plus à rien sinon à décontracter mon dos pour éviter ces horribles crampes. Une petite ville n'était qu'à mille mètres. J'y appellerais un taxi pour rentrer chez moi – m'endetter encore un peu – et me remettrais au travail.

Après cette aventure, j'aurais bien mérité de vivre au pays de Cyrano, et puis, j'avais gagné l'amitié de Solange… Et j'en étais ravie, reconnaissante.

Je marchais toujours.

J'étais à mi-chemin, j'approchais du bourg quand la voiture de Sylvain s'arrêta à ma hauteur. Il baissa la vitre de mon côté et me demanda de remonter.

— Non, ne vous inquiétez pas, je vais trouver une voiture pour rentrer à Montlaudun. Suivez votre route.

— C'est la même que la vôtre, montez… Pardonnez-moi, montez.

— Je ne veux pas d'excuse, je vous assure, je n'en ai pas besoin…

Il me devança, s'arrêta, descendit, ouvrit la portière côté passager et m'attendit. Là, dans le geste, je reconnus son frère, sa main autour de ma cheville et je remontai dans la voiture de Sylvain avec le même fatalisme que j'en étais descendue.

Nous roulions, silencieux.

Arrivés entre Lalande et Montlaudun, bientôt à hauteur de la route sur notre gauche, qui s'enfonçait dans la forêt et montait vers le moulin, il me demanda si je l'accompagnerais, maintenant, là-haut.

— Vous êtes sûr?
— Oui.

J'abaissai ma vitre. Sylvain m'imita. Des touches de chlorophylle maquillaient encore les couleurs ocre et fauve qui, feuille à feuille, transformaient la forêt. L'air humide, lourd de parfums encore verts, mêlés aux odeurs d'humus et d'automne, nous enveloppait.

Qu'est-ce que je savais de la prière? Rien. De l'encens non plus. Pourtant dans la forêt des païens, il me semble que c'était cela que je faisais, me recueillir jusqu'à m'oublier.

À côté de moi, Sylvain s'était perdu aussi.

XVII

Je pensais que tout le monde serait reparti de La Montagne pour Paris mais François était là qui fendait du bois dans la cour. Toujours silencieux, Sylvain et moi nous dirigeâmes vers lui. En posant les yeux sur Sylvain, François porta un poing serré à son cœur. Sylvain hâta le pas et lui tendit la main.

— Je suis Sylvain, le frère jumeau de Pascal.

— Bonjour, merci de préciser, faut pas être cardiaque… Bonjour Mathilde… Vos recherches ont bien avancé !

Sylvain :

— Est-ce que je peux… faire un tour… regarder la chambre où logeait mon frère ?

— Bien sûr. La clé est accrochée à droite de la cheminée. Je ne vous montre pas le chemin ?

— Non, pas besoin, merci.

Sylvain se dirigea d'un pas franc vers la grande pièce à la cheminée, disparut à l'intérieur.

François :

— Qu'est-ce que c'est que cette minerve, qu'est-ce qui vous est arrivé ?

— Je suis tombée dans une fosse de fouilles.

— Sans blague !

— Il est archéologue, il travaille à Bordeaux.

— C'est vrai qu'il fait de l'effet ! Rien de grave ?

— Non. À plat sur le dos… J'ai eu de la chance !

— Vous lui êtes tombée dessus par hasard ?

— Ne souriez pas. Oui et non. Je voulais montrer le livre de Pascal à un archéologue pour en savoir plus sur le site qui y est décrit. Sylvain était là. Les deux frères devaient se retrouver samedi dernier, ici, chez vous, Pascal lui avait donné rendez-vous.

François fendit quelques autres bûches qu'il plaçait au fur et à mesure dans une brouette.

— Allez vous asseoir dans la grande salle, Mathilde, je vous rejoins, je range ça et je vous fais un café.

Dans la salle commune, je m'assis sur un tabouret, droite comme une reine, la minerve au col. Du coin de l'œil je suivais les gestes de François. Il remplit la réserve à bois avec célérité, balaya le seuil des copeaux et des écorces éparpillés en un tour de main, puis referma la porte sur nous. Il me fit humer le café qu'il venait de moudre, me précisa d'où il venait et où à Paris il savait s'en procurer, me vanta ses qualités tout en le préparant. J'observai "le bûcheron" placer rapidement trois tasses et leurs soucoupes au bout de la grande table de chêne, et le sucre, et le lait qu'il versa dans un pot de faïence.

— Le café est prêt. Je vais chercher le frère de Pascal ou non ? Qu'est-ce qu'on fait ?

— Laissons-lui encore un peu de temps.

François servit le café pour nous deux.

— Je prends le café avec vous et je repars sur Paris. Je vous laisse la clé. Je te laisse la clé… Fais comme chez toi. Je viendrai la reprendre à ton atelier, vendredi prochain ? À lui, ça lui laisse le temps de reprendre pied. Il peut faire du feu, il y a du bois tout prêt, il peut rester dormir ici autant qu'il veut. Tu lui diras ?

François parti, je restai trente minutes encore à attendre dans la cuisine. Inquiète, je montai voir. Les escaliers, à cause de mon dos, furent pénibles à monter. En haut des marches, me parvinrent par saccades, ses sanglots étouffés. Je me détournai de la porte et entrepris sans transition de redescendre. Les escaliers étaient encore plus terrifiants à redescendre qu'à monter.

Je renonçai et j'attendis que le sanglot emmêlé de mots mouillés s'épuise.

— Sylvain ! Sylvain ! Je suis là, je vous attends en haut des marches. François a fait du café pour vous, venez ! Je vous attends là derrière la porte. Je ne bouge pas. J'ai besoin de vous pour descendre. Venez !

Je m'assis lentement sur la pierre humide. Je n'attendis que quelques minutes. Il se mouchait, rangeait les quelques objets que comme moi il avait tirés de dessous le lit. Il y eut un moment de silence, il était debout je crois, immobile derrière la porte. Enfin, j'entendis le loquet.

Il me dépassa, se retourna et m'offrit plus que sa main, son bras, et de l'autre, il m'entoura. Je me laissai serrer, porter jusqu'au tabouret, étouffée par sa peine.

— Buvez ce café… Voici la clé du moulin. François vous la laisse pour la semaine. Il a dit que vous pouviez rester ici, dormir, faire du feu…

— … Du feu dans le moulin… Je ne fais pas de feu.

— Allez-vous l'enterrer?

— Oui. Pas d'incinération. Mon grand-père est mort par le feu, ma mère a exigé d'être incinérée, plus jamais! Pascal sera enterré en bas, à Montlaudun, entier, à côté de mon grand-père. Je reviendrai avec les cendres de notre mère et je les mettrai avec eux…

— Est-ce que vous voulez être accompagné ce jour-là?

Il cria en avançant le visage vers moi comme pour me mordre:

— Par qui?

La lèvre tremblante, je parvins à lui dire:

— … Moi, les amis de la ruelle qui m'ont aidée à vous retrouver… Votre cousin, Sébastien, que vous n'avez pas encore rencontré.

Sylvain avait baissé les yeux:

— Si vous voulez. Je ne sais pourquoi vous faites ça, vous, eux… Vous leur transmettrez l'heure où nous nous retrouverons devant le cimetière mercredi matin? Je serai plus précis ce soir. Il n'y aura pas de cérémonie… Des fleurs, peut-être, qu'en pensez-vous?

Ce ne sont pas les mots qui me firent pleurer, c'est cette manière de relever les yeux vers moi en posant le point d'interrogation.

— Ne pleurez pas à votre tour Mathilde, ça ira… Il y a longtemps que je me suis habitué à leur absence, y compris celle de Pascal. Ma mère est morte il y a dix ans. Ne pleurez pas Mathilde… Qu'est-ce qu'il y a?

— C'est mon dos, j'ai une crampe…

— Qu'est-ce que vous dites, je ne vous entends pas!

— C'est mon dos, j'ai une crampe…

— Qu'est-ce que je peux faire?

— Aidez-moi à me lever.

— Cette chute, c'est ma faute, pardon… Vous riez maintenant? Ça vous fait rire? Vous avez de la sueur au front… Pourquoi riez-vous quand je vous demande pardon?

— Parce que l'idée de vous blâmer ne m'est pas venue… Je peux me soutenir en accrochant mes deux mains sur vos épaules? Je vais m'y pendre, de tout mon poids…

— Oui.

J'avais trop mal pour rougir de ce face-à-face.

La crampe passa.

Nous nous rassîmes.

— Votre mère…

— Avant sa maladie, elle était restauratrice de vieux tableaux, elle voyageait beaucoup. On était habitués à vivre seuls, Pascal et moi, et vivre avec Pascal, c'était comme être tout seul déjà… Après le bac, moi aussi, je me suis mis à beaucoup voyager. Étudiant, on participe à toutes les fouilles possibles… Pascal restait à Paris. Déjà à cette époque, je ne le voyais presque plus. En fait, depuis l'incendie, il était vraiment changé, maman s'inquiétait, il avait toujours l'air de nous défier… elle comme moi. Il y a dix ans, on s'est retrouvés autour de maman malade. On était bien côte à côte, comme avant. Mais quand elle est morte, on s'est séparés à nouveau. Enfin, c'est lui qui a pris mes options pour des ruptures, mes absences pour des séparations. Comme si, à vivre ma vie, j'avais voulu le fuir. Moi je crois que c'est lui qui me fuyait.

— … Et votre père ?

— Notre père ? Pas de père… Pendant ses études ma mère a eu une aventure et nous à la clé… Petits, ma mère nous racontait que notre père était beau comme un dieu, nous, on croyait vraiment que c'était un dieu, et que cela expliquait qu'on ne le voie pas. Plus tard, elle nous a raconté… Elle avait connu notre père, un étudiant argentin, quatre jours et quatre nuits en tout et pour tout. C'est elle qui l'avait quitté au matin sur la pointe des pieds parce que… Elle voulait garder ce "miracle amoureux" intact, elle ne voulait pas qu'il s'use… Elle était forte n'est-ce pas ? Un peu folle aussi… Elle a mis quatre mois à réaliser qu'elle était enceinte… et de jumeaux encore ! Le temps qu'elle digère l'information, nous étions nés et même là, elle n'a pas su revenir sur son geste de fuite. Appeler son amant et lui dire. Pascal, il avait le goût du secret de mon grand-père et la fougue de ma mère, un cocktail ingérable, une déflagration permanente… Il avait des kyrielles de diplômes, n'en déduisait rien, ne se projetait nulle part, vivait au jour le jour. En dehors des petits boulots, il n'a jamais pu suivre une voie, il errait toujours, seul… Toujours au-dessus d'un gouffre à gérer les impayés… Heureusement qu'il n'avait pas de loyer à assumer. Il habite… il habitait dans le petit deux pièces de ma mère sur les quais, à Paris, l'appartement dans lequel on vivait tous les trois avant. C'est moi qui ai toujours payé les charges… Il faut que j'aille là-bas. Je vais le vendre, je n'en veux pas…

— Il n'avait pas de clé sur lui…

— Cela ne m'étonne pas. Je la retrouverai sous le paillasson, dans le couloir, sur le rebord d'une fenêtre… De toute façon j'ai un double.

Il alla à la tour, observa longtemps l'arbre qui avait élu domicile à l'intérieur.

Pendant ce temps je fermai le moulin puis lui remis la clé.

Il me raccompagna à Montlaudun. L'atelier à peine ouvert, Sylvain déposa le livre sur mon comptoir de marchande sans y accorder le moindre regard. Il repartit à l'hôpital.

Je me retournai vers l'intérieur de l'atelier, considérai sur ma droite l'escalier qui menait à l'appartement, je voulais dire "bonjour", faire la paix mais je ne pouvais pas. Quelque chose n'allait pas.

Le voleur était revenu. Un tiroir mal fermé, le clavier de mon ordinateur de guingois, le désordre de ma table de travail, la boule de verre presse-papiers encore une fois déplacée, un ou deux tiroirs des fers à dorer laissés ouverts… La crampe envahit mon dos, je grinçai comme une porte en inspirant l'air quand André entra en trombe.

— Nom de Dieu, qu'est-ce que tu as Mathilde ?
— Mon dos.

J'allai courbée jusqu'à la porte d'entrée, je l'ouvris et réussis sans respirer à me redresser, à accrocher mes mains à son rebord, je me pendis petit à petit et de tout mon poids, respirai de plus en plus profondément, m'étirai, et la douleur céda. Je souris à André qui était resté debout à me regarder.
Sébastien nous rejoignit.

— On est entré chez moi.
— Oui. Assieds-toi, Sébastien et moi, on a des choses à te raconter. Tout va bien. C'est fini. C'est une seule et même personne qui dénigre ton travail et viole l'atelier. C'est fini.
— On m'a pris quelque chose cette fois ?
— Non, rien, comme la première fois.
— Que veut-on de moi ?
— La liste.
— … Pour quoi faire ?
— Sébastien, raconte-lui.
— Après avoir parlé avec toi, au téléphone, samedi midi, André est allé voir le fils d'un des hommes dont

le nom est sur la liste, Segnac. Gisèle le connaissait. André est sorti de chez cet homme avec la ferme conviction que le marché noir entrepris par Claverie était un secret de polichinelle. Dans quelle proportion, avait-il, au-delà, collaboré avec les Allemands, ça on n'a jamais su. Segnac père avait confirmé à son fils qu'il avait trempé dans le marché noir jusqu'au cou et qu'il savait d'expérience que Claverie était un salaud prêt à toutes les dénonciations. Qu'ils avaient trouvé, dans le réseau, un moyen de le faire tenir tranquille. Le père Segnac disait que le père Claverie n'avait pas de conviction politique, mais qu'il aurait été prêt à n'importe quoi pour qu'on lui laisse les coudées franches pour faire son trafic. Le père Claverie a pu se protéger après la guerre, il connaissait tellement de monde… André est venu me voir, nous sommes allés chez Mlle Billon tous les deux et on en a parlé. On ne comprenait toujours pas précisément pourquoi Claverie avait si peur de cette liste, pourquoi il voulait, soit te la prendre, soit te faire quitter Montlaudun avec et pourquoi la porte de l'atelier n'avait pas été fracturée. C'est là que Gisèle nous a rejoints et nous a rappelé que ton ancien propriétaire, il est marié à la cousine de Claverie. Pourquoi ta porte n'était pas fracturée ? Parce que le voleur avait la clé. Il existe un ou plusieurs doubles qu'on aura peut-être, en toute bonne foi, oublié de te donner ? Claverie a mis la main dessus.

André continua :

— Alors, chacun de son côté, on a commencé dans l'après-midi à raconter des choses à nos chers clients… Que tu étais à Bordeaux, accidentée, que tu ne serais pas là cette nuit, ni la nuit suivante… mais à l'hôpital. On a raconté comment tu avais terminé la reliure du très beau livre que t'avait confié Pascal, que tu avais retrouvé les héritiers. Qu'ils viendraient à Montlaudun chercher le livre dès que tu sortirais de l'hôpital… Il fallait le prendre la main dans le sac, sinon tu penses bien que je serai allé directement lui mettre mon poing sur le nez ! On a guetté. À deux heures du matin, Claverie entrait dans la ruelle. Il est entré chez toi, comme chez lui. Il avait les deux clés, celle de la grille et de la porte. Ton père t'avait dit de changer au moins la serrure de la grille ! Bon sang de gamine !….. Ça n'a même pas grincé. Le livre est gros, il se serait vite aperçu qu'il n'était pas là, et la liste non plus puisque c'est moi qui l'ai ! On lui a juste laissé le temps de mettre un peu le bazar et de bouger le presse-papiers… Ah ma fille, tu aurais dû voir sa tête ! Une tête ! Un bonheur ! Le sublime M. Claverie avait l'air d'un potiron de Halloween, la fête finie, tout flétri qu'il était ! On aurait dit la doyenne de la maison de retraite, une tête à faire peur !

Sébastien :
— Oui on a eu peur ! On a cru qu'il allait faire une crise cardiaque quand on l'a découvert. André lui braquait sa torche dans le nez et ne pouvait pas s'empêcher de lui donner en hurlant tous les noms d'oiseaux que tu peux imaginer… Claverie a d'abord essayé de trouver un arrangement, il allait tout nous expliquer, il fallait comprendre que "remuer le passé serait mauvais pour toute la communauté". André lui a demandé de couper court et de nous dire ce que

c'était que cette liste pour laquelle il se faisait cambrioleur.

André :

— Figure-toi que ce saligaud ne voulait pas qu'on "salisse la mémoire de son père". Quelle mémoire ? Qu'est-ce qui reste à salir ?

Sébastien :

— Sous la boule de verre, il avait bien reconnu la signature de son père. Il savait que cette liste existait. Le père Claverie avait établi une liste de résistants à dénoncer. Mais bien sûr il ne l'avait pas signée, c'est le grand-père de Pascal qui l'a obligé à la signer.

Je crois que c'est à ce stade de l'histoire que j'ai demandé un verre d'eau. André s'est précipité pour me le servir. De la main il m'encourageait à le boire vivement.

— Allez bois ma fille. Moi je connais déjà la suite mais je ne m'en lasse pas !

Sébastien reprit :

— Le père Claverie était très impliqué dans le marché noir, et je peux dire qu'il ne se contentait pas du commerce d'une douzaine d'œufs ou d'une plaquette de beurre… Marchand de grain et de bétail de profession, très bonnes relations avec le chef de gare… Mais les résistants pullulaient dans la région. Les gars du maquis le considéraient comme un collabo et voulaient lui faire la peau. Seulement avec ses contacts, le père du maire était bien renseigné lui aussi, il l'a su et a voulu prendre les devants, les faire prendre avant d'être pris. Il était si riche, si bien protégé par des gros bonnets de Bordeaux et par quelques officiers allemands, qu'il se sentait inattaquable. Mais comme son fils, c'était un vantard. Il rongeait son frein mais s'est relâché devant une gamine, "petite secrétaire, petite maîtresse" de la mairie, il a dit qu'il pouvait faire arrêter qui il voulait quand il voulait, qu'il avait la liste… La petite maîtresse n'était pas si éblouie que ça par Claverie… Elle a senti que la menace était sérieuse. Elle l'a répétée à son père, le cantonnier, qui passait des messages au réseau. Il a passé celui-ci et les résistants ont surveillé Claverie d'encore plus près. Le jour où il partait pour Bordeaux pour dénoncer les gars, il s'est fait prendre. Cet idiot était si sûr de lui qu'il avait vraiment écrit la liste ! Ils ne la lui ont pas fait manger : le maire nous a dit que c'est le grand-père de Pascal lui-même qui a mis le revolver sur la tempe de son père. Il lui a fait signer le papier en lui disant que tout le réseau serait au courant de l'existence de cette liste. S'il s'avisait de les donner, le petit papier faisant foi, s'il restait un seul résistant dans le maquis, il y passerait. Le restant de la guerre, les gens du réseau ont utilisé la lettre comme un moyen de pression, pour obtenir différentes choses. À la Libération, le père Claverie s'est même fait mousser avec ses quelques petites actions sympathiques à la Résistance… Tu parles, il les avait faites le pistolet sur la tempe… Après la guerre, le père a raconté cette affaire à son fils, pour qu'il sache que cette liste existait peut-être toujours. Et Claverie fils a compris que cette liste n'avait pas été perdue le jour où il l'a découverte sur ton bureau. Le grand-père de Pascal l'avait cachée dans le livre. Bien sûr, il y a eu des ragots après la guerre sur l'existence de cette liste, mais le père Claverie s'est défendu, main sur le cœur : lui, un dénonciateur ? Si bon pour les familles de résistants, pour les familles de prisonniers de retour… N'avait-il pas aidé les réseaux pendant l'Occupation… Lui, un salaud ? Impossible !

Claverie et la liste… Je comprenais que le danger était passé. Mais autre chose me tracassait :

— Comment est-ce que cette liste est arrivée au dos du livre ? J'avais pensé que cela aurait pu être un gars du STO qui aurait travaillé dans la reliure en Allemagne. Cela aurait expliqué que le livre soit relié à l'allemande. Le grand-père de Pascal aurait caché ailleurs la liste pendant la guerre : au moulin, par exemple… Et quand les jeunes du STO sont rentrés, il avait encore des raisons de vouloir la dissimuler. Les règlements de compte… La guerre était si fraîche.

André :

— Ben voilà, c'est ça… Si on ignore qui a relié le livre et quand cela a été fait c'est pas grave… Aujourd'hui, ce qui compte, c'est que tu puisses reprendre ton travail calmement. On espère que tu seras d'accord avec la suite… Une fois que Claverie a eu raconté son histoire, on lui a dit qu'on dirait rien ni de la liste ni de sa canaille de pourriture de père malgré l'envie qu'on en avait. Mais qu'il devait faire en sorte d'assurer ta promotion pour de bon et d'arrêter d'appeler les copains pour laisser entendre que les gendarmes te suspectaient d'être pour quelque chose dans la mort de Pascal. Que sinon, la liste réapparaîtrait… Il y a des listes comme ça… elles disparaissent, elles réapparaissent… En attendant, voilà les doubles que Claverie nous a remis. Change ta serrure… Mais ne t'inquiète pas, Claverie ne reviendra pas. Il te mangera dans la main.

Sébastien :
— Maintenant raconte-nous à ton tour… Solange Charpentier a dit à André où tu étais tombée et de combien mais… Qu'est-ce que tu faisais tout au bord d'une fosse ?
— Je voulais montrer le livre que Pascal avait apporté à des archéologues, j'étais derrière la cathédrale, au bord d'une fosse de fouilles quand j'ai vu s'avancer vers moi "Pascal", enfin, le même, son sosie : son jumeau. J'ai eu un malaise et je suis tombée à la renverse dans la fosse…
— Qu'est-ce qu'elle nous chante ? C'est pas sur le dos qu'elle est tombée !
— … Pascal avait bien un frère, un frère jumeau qui s'appelle Sylvain. Vous vous êtes ratés tout à l'heure de deux minutes. Il est parti à l'hôpital, il va organiser les funérailles mercredi ici à Montlaudun, au cimetière, Pascal y sera enterré près de son grand-père.

On poussa la porte de l'atelier :
— Bonjour Mathilde !
— Bonjour mademoiselle Cécile.

— Oh! Le joli collier, un port de reine! Nous avons été tout de suite rassurés par votre amie mais tout de même, c'est bien de vous savoir rentrée… Je ne m'arrête pas, je retourne à la boutique, j'ai laissé ouvert… Tenez, une bouteille : du vieux bordeaux, un verre le soir, ça soigne tout.

— J'ai retrouvé le frère du jeune homme mort lundi dernier, ce sont bien les petits-fils de l'homme du moulin que vous avez connu. Les obsèques auront lieu mercredi.

— J'en serai, en souvenir de son grand-père et pour vous accompagner chère Mathilde.

Un peu plus tard, Sébastien, enrichi d'un cousin, retourna à sa cordonnerie et André resta seul en ma compagnie. Tapie à nouveau derrière ses yeux plissés, la malice.

— Moi qui croyais que le métier de relieur était un boulot plan-plan… Qu'est-ce qu'on rigole depuis que t'es là! Tu as retrouvé la trace de Pascal? Qu'est-ce qu'il fait encore là le livre alors?

— Son frère le reprendra.

— Qui sait… Finalement, t'auras peut-être fait tout ça pour rien, tu vas voir qu'il va finir par te rester sur les bras ce bouquin.

— … Il est beau.

— Je n'en doute pas… et costaud… Je te laisse, appelle tes parents.

— J'appellerai.

— Ah, il va falloir que tu calmes les sœurs de l'épicerie. Elles se déchaînent : la folle raconte que tu as voulu tuer M. Roche, que t'avais un client lundi mais que celui-là est mort aussi. Les clients s'en fichent mais on les connaît, la dérangée va t'insulter à chaque fois que tu mets le pied dehors.

— Bien, je le ferai.

— Une dernière chose, M. Roche va très bien, il est rentré.

Je parlai longtemps avec mes parents. À bientôt trente ans, l'idée qu'un mot de moi pouvait suffire à les faire venir me fit plus de bien que le massage et les soins du physiothérapeute que j'allais consulter en milieu d'après-midi. Je leur promis de venir leur rendre visite à Noël.

Je terminai le devis pour la mairie de Lalande. Dans l'après-midi, j'allais partir à mon rendez-vous quand débarquèrent en commando les propriétaires des livres sages. Je les avais complètement oubliés, eux et leurs livres. Pourtant, je n'avais plus un sou en poche. Je pris en photo les livres qui s'en allaient. On me paya pour mon travail. J'étais riche.

Le livre du fanum restait à la place où Sylvain l'avait posé. J'avais conscience de sa "présence", de son volume, de son odeur, tout le temps, comme on l'a d'un organisme vivant.

À mon retour de la séance de soin, je m'installai devant l'étui couvert de velours cramoisi râpé et en tirai le grand livre de la messe de Machaut. J'allai directement à la dernière page où, cousu dans le dernier cahier, l'humble petit feuillet greffé disait toute la vérité : "Copie réalisée par moi, prêtre Jean Maheu, en l'an de grâce 1602."

J'imaginai Jean Maheu arrivant chez le relieur qui terminait la couture, avec en main son minifeuillet, insistant pour qu'on le couse à la messe, tout de même.

J'établis le devis pour sa restauration, incluant une désinfection par fumigation pour débarrasser le volume des moisissures. Je l'emmènerais à Bordeaux.

Je sortais pour aller acheter mon pain, la vieille sorcière sur sa marche me fit sursauter. Je ne devais pas me raidir ou mon dos se cabrerait, m'asphyxierait de cette crampe. Je respirai sagement tout en m'éloignant, je l'entendis longtemps me poursuivre de sa voix cassée :

— Il est revenu M. Roche, tu l'as pas eu, il est pas mort… Voleuse d'amoureux, c'est ta faute s'il a pas épousé ma sœur…

Le bruit de la porte de la boutique qui se ferme. Sa sœur sans doute, qui l'aura consignée pour un temps.

Après la boulangerie, je m'aventurai jusque chez M. Roche. La boutique était fermée mais il y avait de la lumière à l'appartement au-dessus. Je frappai. Il descendit m'ouvrir.

— Comment allez-vous ?
— Je vais très bien, merci Mathilde. Qu'est-ce que c'est que cette minerve ?
— Je suis tombée.

— Que disent les médecins ?

— Il faudra un peu de temps, la minerve, je pourrai l'enlever demain ou après-demain... Mercredi, je ne sais pas encore l'heure, il y aura l'enterrement de ce jeune homme mort lundi dernier. Vous viendrez ?

— Oui. Vous me préciserez l'heure demain.

— ... Ah... Le dé de bois calciné, c'était du châtaignier.

— Bien, c'est un bel arbre... Ne partez pas, attendez un petit moment.

Il revint avec la montre de mon grand-père. Il la porta jusqu'à mon oreille. Elle marchait à nouveau. Moi qui n'en avais jamais porté, je mis la montre à mon poignet. Elle y est toujours.

Remontant la ruelle, je poussai la porte de l'épicerie, résolue à confronter les deux sœurs sans délai.

La folle, quand elle n'était pas sur le pas-de-porte à faire le gué mais au cœur de son antre, était occupée à jouer à la marchande. Elle débitait, les yeux au ciel, les chapelets de phrases de la panoplie du commerçant, dispensant ainsi sa sœur, les mauvais jours, d'ouvrir la bouche.

La fiancée abandonnée, était la plus imprévisible des deux : pour un jour de paroles par salves, un jour suivait où elle ne desserrait qu'à peine les dents.

Les deux sœurs avaient depuis leur venue au monde toujours dormi sous le même toit. Pourtant, jamais je n'ai perçu le moindre regard qui aurait trahi une complicité. Il y avait bien un regard expressif : celui de l'imprévisible vers la folle, un regard qui lâchait la bride à ses insultes, ses délires, puis qui la resserrait, à volonté. Vous pouviez entrer dans leur boutique à n'importe quelle heure du jour, jamais vous n'interrompiez une conversation.

Il fallait pourtant qu'elles s'animent parfois dans leur intimité, à propos de la "mauvaiseté" des autres. Il le fallait bien, sinon où et quand la sœur aînée aurait-elle pu pourvoir sa cadette en combustibles ?

Je passai commande de fromage, de beurre et de quelques fruits. À respirer le même air qu'elles ce jour-là, je compris qu'elles se haïssaient, le savaient-elles ? La folle peut-être.

C'était un jour sans paroles pour la "fiancée". Je la fixai. Elle me servit vite, mal à l'aise et retourna se réfugier derrière sa caisse. C'est elle qui se repaissait d'habitude du malaise de ses clients empêtrés dans le babil inquiétant de sa sœur. La feue fiancée à la dignité compassée s'amusait à les voir se débattre : fallait-il donner un sens à la confusion du fou ?

Elle jouissait de son pouvoir, sans jamais en avoir rien à assumer, elle se régalait de cette confusion qui envahissait "le client, la cliente".

La folle les regardait du coin de l'œil. Les regardait-elle d'ailleurs ? Était-ce à eux qu'elle murmurait : "On a entendu des choses, des choses…", "Toujours malade ?", "On a déjà changé de voiture ?", "On a bien vieilli…", "Mange pas assez de fruits ?", "Elle a le porte-monnaie fermé", "Sont beaux mes raisins, sont beaux…" ?

Ou ce jour-là à moi, elle murmurait : "Joli collier la relieuse, joli collier…"

D'habitude, le temps de payer au moins, rarement à faire la queue, je regardais tout là-haut au plafond gris marbré de fissures les invendus des années soixante-dix : les cartons de charentaises – dans lesquels Sébastien puisait encore avec délice – de verres en pyrex, les assiettes quadrillées de jaune citron et de bleu lavande, les pots poussiéreux de stylos quatre-couleurs.

J'étais toujours occupée à fixer sans sourire cette femme amère. La feue fiancée le comprit. D'un regard pressant, elle donna le signal à la folle d'entrer en scène. La démente, aussitôt, se mit à me tourner autour : "Assassine que je dis, méchante fille avec tes cheveux de sorcière et ta peau blanche qu'elle a même pas l'air vraie, qui que tu veux tuer ? On va le dire aux gendarmes, traîtresse… qui va… faire ses courses… au supermarché."

Je me retournai et soutins le regard de l'insensée.

La folle alors, hésita, mais la sœur aînée estimant que je méritais une correction ne cilla pas, la folle continua : "… L'est pas morte dans l'accident la voleuse de bijoutier, elle s'est pas cassé le cou ?"

Je marchai sur elle sous le prétexte d'aller chercher là-bas une boîte de petit pois. Déstabilisée, elle lançait des œillades à sa sœur. N'en recevant aucun signe, elle m'insultait toujours, mais reculait dans l'allée.

Elle se tut enfin. Je la laissai au coin. Je retournai près de la caisse, l'autre desserra les dents :

— Elle raconte n'importe quoi, quel fardeau, si vous saviez !

Comme je ne répondis pas, la fixant à son tour, elle n'ajouta plus rien et lança un œil méchant à sa sœur qui, au coin où je l'avais confinée, admirait ses charentaises en se balançant légèrement d'avant en arrière, les mains croisées derrière le dos.

L'autre ajouta à la note le prix de la boîte de petits pois.

— Et avec ça ?

— C'est tout.

Il y avait de la lumière chez Sébastien mais pas de musique pour faire vibrer les murs, c'était signe de visite.

Je déposai mes quelques courses à l'atelier et ressortis aussitôt acheter mes journaux, on était lundi. Les nouvelles du monde de la semaine qui venait de s'écouler n'avaient pas été lues.

Je rangeai les courses à l'étage, laissai le livre exposé, là où son maître viendrait le prendre tout à l'heure ou demain, sur mon comptoir de marchande.

En attendant le feu vert de la mairie et de l'association de l'église pour le travail de restauration de la messe de Machaut, je travaillai sur les missels, ceux-là ne concernaient personne d'autre que le curé et moi. Je sortis de leurs cartons, missels de communion et livres de messe des quatre saisons, le *Petit Paroissien du soldat*, tous livres "d'une famille de mécréants qui a offert au seul croyant de la bande des livres dont personne ne veut". Le curé avait ajouté quelque chose comme : "Du coup, je me sens d'autant plus responsable de ces vieilleries."

Du coup, moi aussi.

Je commençai par le missel aux couvertures d'ivoire peintes de motifs floraux. Avec un pinceau, j'époussetai le livre sur la tranche, la tête, vérifiai que l'intérieur était propre, polis les coins de pages pliés. Je lus ces pages-là. Puis j'entrepris de fabriquer son coffret qui serait comme l'original recouvert de chagrin, mais pourpre et non noir.

Pendant la confection du coffret, entre deux étapes ponctuées par les temps de séchage, j'observai d'un peu plus près les missels des quatre saisons, "le missel pour les pros". Ce coffret-là était en bon état, je recollai un coin, ravivai le cuir en le cirant.

Je travaillais contente, me lovais dans ces espaces délimités par mes gestes, contente de voir M. Roche debout, de savoir que mon atelier ne serait plus violé, que Sylvain existait.

Les deux missels usagés, ceux de l'automne et de l'hiver, devaient être reliés de nouveau : décousus, couvertures cassées, promenés tour à tour par tous les enfants de la maisonnée. Ceux du printemps et de l'été étaient parfaits. J'imaginais les jours de grand soleil, les églises désertées.

Le coffret du missel de communion était terminé. Les missels de l'automne et de l'hiver mis à nu, dos lavés, cahiers séparés, collectionnage terminé, étaient prêts à la couture. Je fermai les volets sur la vitrine de mon atelier.

Sylvain était sans doute au moulin depuis longtemps déjà, seul.

Je ne montai pas aussitôt. Dans l'atelier fermé,

j'ouvris le livre du fanum que Sylvain ne voulait pas regarder et je le feuilletai encore comme pour compenser le manque d'intérêt de son maître.

J'avais faim. Je mangerais seule, j'ôterais cette minerve de mon cou pour mieux boire le vin de bordeaux.

Il y eut du mouvement chez Sébastien, la porte s'ouvrit sur la rue, j'entendis des voix, puis le rideau tomba.

Avant d'éteindre l'atelier, de monter, j'attendis un instant, la main suspendue au-dessus de l'interrupteur.

Plus aucun bruit, vraiment.

Alors j'éteignis la lumière de l'atelier et me dirigeai fatiguée vers l'escalier.

On frappa à la porte.

Sébastien ?

C'était Sylvain.

C'était Sylvain puisque cela ne pouvait pas être Pascal.

Je reculai vite vers l'intérieur de l'atelier après avoir ouvert porte et grille, pour mieux voir comme il emplissait le seuil de sa hauteur.

— Bonsoir Mathilde.
— Bonsoir, c'est vous qui étiez chez Sébastien ?
— Oui.
— C'est bien.
— Oui. Il est drôle… Il m'a expliqué comment on faisait le même métier, je ne pourrais pas vous refaire la démonstration mais c'était assez convaincant dans l'instant… Il sera là mercredi matin, à dix heures au cimetière. Tout est arrangé.

— … Entrez. Vous… vous voulez rester un moment… ou vous venez juste reprendre votre livre ?

— Oui… Non… Je voulais savoir si je pouvais rester dormir ici, je n'arrive pas à me décider à aller au moulin… Je peux dormir dans l'atelier ?

— Non… Oui… Je veux dire que vous pouvez rester, mais il n'y a rien dans l'atelier pour dormir. J'habite au-dessus, venez…

Je notai qu'en passant il regarda le livre mais il le laissa là où il était.

On dîna de pain, d'omelette, de fromage, de raisin et du vin de bordeaux de Mlle Cécile. Sylvain était attablé jambes croisées de côté, le coude appuyé sur le coin de table. Il parla peu, de quelques souvenirs en pointillé liés au moulin. Il fit la vaisselle. Il prenait sous cet étage moyenâgeux beaucoup de place, mais d'une manière courtoise, à la façon dont il s'était assis au coin de mon lit à l'hôpital.

Il déboucha une autre bouteille de bordeaux, sentit le bouchon de liège. Je pensais à la forêt.

Il me demanda, puisque j'avais dit que j'étais nouvelle à Montlaudun, d'où je venais.

Je lui parlai de mon grand-père, de Cyrano, de châtaigniers…

XVIII

Le lendemain, après avoir prévenu les gens de la ruelle de l'heure de l'enterrement, je travaillai aux livres du prêtre, notamment au *Petit Paroissien du soldat*, gris, écorné, au dos agrafé. D'habitude on jette ces livres-là, mais pour l'abbé Maupin et sa compassion pour le soldat dont il ne restait que cet oubli de permission derrière lui, j'y travaillai bien.

La secrétaire de mairie de Montlaudun téléphona pour dire que je pouvais commencer à restaurer la messe de Machaut, que je pouvais préparer le devis mais que d'ores et déjà, "sachant qu'il serait raisonnable", la mairie comme l'association donnaient leur accord. Pour ce qui était des archives communales, M. le maire soumettrait à nouveau le projet au prochain conseil municipal.

Enfin.

J'étais un rien écœurée mais je n'avais pas le courage, la veille de l'enterrement, de m'attarder sur mes futures relations avec M. le maire. J'ouvris le tiroir de ma table de travail où se battaient les doubles des clés avec quelques boulons, des pinces à cheveux, des vieux papiers et des pense-bêtes. Je les considérai un instant puis pris rendez-vous avec le serrurier le plus proche pour qu'il vienne la semaine suivante changer les serrures qui donnaient accès à mon atelier.

André passa à dix heures pour m'apporter ses chouquettes et prendre un café. Il resta un long moment pour "ma gazette". Il y avait mis le dernier point d'un mot de maître et partait. C'est sur Sylvain qui entrait qu'il ouvrit la porte. Je les présentai.

Ils échangèrent quelques mots à propos du moulin. Sylvain allait y monter tout à l'heure après avoir réglé les derniers détails de l'enterrement du lendemain, notamment le choix du cercueil. À ces mots, André prit sa main dans les deux siennes et lui dit : "Nous serons à vos côtés demain jeune homme."

Sylvain enfla le dos, grimaça pour détourner des larmes qui s'échappèrent quand même et se réfugia à l'étage. Peut-être est-ce André qui me fit le plus de peine, planté sur le seuil, ne sachant quoi faire de ses mains, l'œil azur perdu. Il referma doucement la porte de l'atelier sur nous comme sur une chambre aux enfants endormis.

Je cousais depuis longtemps seule, en silence quand il redescendit.

— Je vais au moulin.

— Je vous attends pour dîner ?

— Oui.

Il avait déjà ouvert la porte quand il se reprit, marcha dans ma direction, me prit la main et la baisa sans un mot.

De retour de ma séance chez le physiothérapeute, je trouvai un message de Solange. Elle assisterait à l'enterrement du lendemain avec l'archéologue responsable des fouilles.

Je travaillais bien, y puisais de l'énergie et du repos. En fin de journée, la restauration des missels était bien avancée. Je jouai avec l'idée de les offrir à l'abbé Maupin. L'atelier était sauvé.

Je décidai, des forces m'étant revenues, de cuisiner pour le repas du soir !

Je remontai la ruelle en direction de l'église Saint-Lazare et continuai jusqu'au supermarché, de l'autre côté, dans la rue principale animée de grands magasins et de cafés.

Dans la cohue de la fin d'après-midi, à vingt mètres, je vis M. Claverie avancer droit sur moi. J'hésitai mais ne changeai pas de trajectoire. Lui, quand il me vit, marqua un arrêt aussi, il grimaça un sourire, puis s'avança, main tendue. J'eus toutes les peines du monde à lui tendre la mienne.

Lui :

— Nous nous préparons à la foire des artisans de la semaine prochaine… On fera tout, tout pour vous, pour que cela se passe au mieux… M. Gallien, le maire de Lalande sera là avec les registres reliés que vous lui avez portés la semaine passée. Pour montrer aux autres élus… Il est tellement content de votre travail.

Si vous voulez montrer d'autres choses, des livres…
peut-être des outils pour animer le stand… J'enver-
rai un employé communal avec l'estafette de la mairie pour transporter tout ce dont vous auriez besoin…

Je fis les courses sans compter, j'achetai sans
réfléchir trois filets de saumon frais et beaucoup de
chocolat. Nous n'étions que deux.

Au retour, je passai chez Sébastien :
— Viens dîner. Sylvain sera content de te voir.
— Non merci pas ce soir, j'ai un rendez-vous galant.
Il nous faut des forces pour demain. Après le dîner,
il couche chez toi ?
— Oui je crois, il ne veut pas aller seul au moulin…
— Demain matin, je frappe à votre porte, à huit
heures trente et on monte à l'hôpital tous les trois ?
— Oui.

Depuis l'été et les visites de la famille, de mes
quelques amis, ma cuisine n'avait plus ni couleur,
ni son, ni odeur. Ce soir-là, je fis claquer les portes
des placards, voler la farine, quiche, saumon, épi-
nards frais, sauce citron, coriandre, gâteau au chocolat. J'en avais le feu aux joues de préparer ce repas.
J'en oubliais mon dos et surtout les funérailles du
lendemain. Je mis le couvert dans la grande pièce,
nappe bleue et verres à pieds.
À sept heures trente Sylvain frappait en bas.

Il avait assisté en fin de matinée, seul, à la mise
en bière de son frère puis il avait rejoint le moulin

et passé l'après-midi en forêt. Il était à son tour imprégné de ses parfums. Les contours de la belle silhouette se firent à nouveau flous, moi qui commençais à penser à lui pour lui, non plus comme à la copie de l'autre, voilà qu'à nouveau je ne savais plus qui j'avais attendu.

Il apportait du vin et avait acheté des vêtements de rechange, pour le soir et le lendemain.

La douche coula longtemps, il sortit de la chambre en jean et tee-shirt blanc.

J'avais oublié de nous faire jolie, ma minerve et moi, je m'éclipsai sur le palier, devant le grand miroir. Je levai trop vite les bras en équerre pour peigner mes cheveux et tous les muscles de mon dos se contractèrent horriblement.

Le souffle coupé, j'appelai d'une voix rauque que je ne reconnus pas :

— Pascal ! Pascal !

Heureusement Sylvain n'entendit pas. J'allais, voilée comme une petite vieille jusqu'à la première porte et je m'y pendis des deux bras.

Il avait oublié de déjeuner. Je lui préparai le troisième filet de saumon dont il ne fit qu'une bouchée. Il me racontait "là-haut".

La veille, je lui avais dit que Pascal passait son temps dans la montagne, se dirigeant toujours vers le sommet. Sylvain y avait suivi des sentes empruntées par les chasseurs et par son frère sans doute, dans ses errances. Il avait emprunté un de ces chemins jusqu'à une fourche. Il avait opté pour une des deux trajectoires qui s'était terminée en cul-de-sac au milieu d'un bosquet d'épines où se trouvaient des auges pour appâter les sangliers.

Il ajouta :
— Ce rendez-vous de samedi dernier… On l'avait fait par courriels. Une chose m'avait étonné : lui qui était totalement dépassé par les questions d'ordre matériel, il m'avait demandé de ne pas oublier de prendre une paire de bottes… Vous ne pouvez pas savoir comme j'en ai ri… Pas à l'idée d'aller me balader en forêt avec lui, je savais qu'on se verrait au moulin, mais qu'il tienne à préciser de prendre des bottes, lui qui n'a jamais su faire une valise…

Il me servit un verre de vin et me dit de le laisser débarrasser, laver et ranger. Je n'aurais pas eu la force de lever un petit doigt. Je l'attendais au salon comme il me l'avait demandé, en lisant mon journal. Je m'endormis.

Sa tâche terminée, il vint s'asseoir près de moi et me réveilla. Sans préambule il me demanda de lui raconter les nouvelles du *Monde* de la veille. Il dut se contenter des gros titres.

Je préférais qu'il me parle de son métier de nomade qui, de fouilles en fosses, l'emmenait voyager autour d'un globe dont il voyait si peu de la surface. Comme il ne voulait visiblement pas encore dormir, je lui demandai de me parler de l'Égypte, d'Alexandrie. Je ne lui dis pas que j'y étais invitée aussi.

Lui, sobre, parlait maintenant sans tarir, se répétait, rêvait l'Égypte, avant de revenir à sa promenade de l'après-midi.

Il évoqua une seule fois son frère qu'on allait demain recouvrir de cette terre qu'il passait son temps à ouvrir.

Il parla longuement et avec affection de son grand-père, prononça le mot "mère" sans aller plus avant car sa voix lui resta dans la gorge en le prononçant.

Et il reprit la liste de ces sujets au commencement.

À trois heures du matin, il reculait toujours, retardant le moment d'aller se coucher. Je n'en pouvais plus, je me levai comme je pus. Devant le miroir, j'ôtai enfin ma minerve. Je fus plus douce pour lever les bras que tantôt. Je savourai mon cou léger, penché vers l'épaule. Je dormais debout.

Sylvain s'était levé à ma suite pour me suivre, pour ne pas rester seul. Debout derrière moi, il m'avait regardée l'ôter et il restait là, figé. Je le laissai face à ce miroir et à son reflet.

Sans lui souhaiter bonne nuit, je me rendis à ma chambre, m'allongeai habillée et dans un souffle m'endormis.

CYRANO
Baiser. Le mot est doux !
Je ne vois pas pourquoi votre lèvre ne l'ose ;
S'il la brûle déjà, que sera-ce la chose ?
Ne vous en faites pas un épouvantement ;
N'avez-vous pas tantôt, presque insensiblement,
Quitté le badinage et glissé sans alarmes
Du sourire au soupir et du soupir aux larmes !
Glissez encore un peu d'insensible façon :
Des larmes au baiser il n'y a qu'un frisson !

XIX

Sylvain ne dormit pas dans le lit de la chambre d'amis. Je le retrouvai au matin sur le canapé, mi-assis, mi-couché, en chien de fusil.

À huit heures trente, nous retrouvâmes Sébastien dans la ruelle.

Depuis le lever, Sylvain et moi n'avions pas échangé un seul mot et c'est en silence que nous montâmes vers l'hôpital.

Nous escorterions tous les trois, à pied, le fourgon mortuaire jusqu'au cimetière où nos amis nous attendraient. L'abbé Maupin avait demandé à être là, à titre privé.

Les funérailles avaient commencé.

L'ascension vers l'hôpital fut pénible. Sébastien et Sylvain m'épaulaient. Je ne pensais plus à rien. Devant l'hôpital, le fourgon attendait déjà, le cercueil à l'arrière, prêt à amorcer la descente.

Nous suivions maintenant le fourgon mortuaire qui semblait descendre en roue libre, on entendait à peine le moteur.

Nous marchions tous les trois côte à côte derrière le cercueil, moi au milieu. Nous ne nous tenions plus par le bras.

Solange, l'archéologue de Bordeaux, l'abbé Maupin, André avec à son bras Mlle Cécile, M. Roche et la dame qui arrangeait des fleurs à l'église, bouquet en main, nous retrouvèrent en bas de la grande route qui de l'hôpital débouchait dans la ville.

Personne ne se salua. La petite troupe nous emboîta le pas en silence. C'est ensemble que l'on fit le reste du chemin. Notre marche était rythmée par nos pas sur les gravillons crissants de la route fraîchement bitumée. Je me concentrais pour ne pas pleurer sur leurs rythmes syncopés, sur leurs unissons aussi.

Je redoutais d'expérience l'instant où on tirerait du fourgon l'immense cercueil, où on lui imprimerait un dernier mouvement de houle, où il voguerait sur des épaules d'hommes quelques petits mètres encore avant de s'immobiliser pour l'éternité.

C'est Sylvain et Sébastien qui portèrent le cercueil en tête. André et l'abbé Maupin le soutenaient au milieu, les deux employés des pompes funèbres à l'arrière. M. Roche sortait de l'hôpital. On ne pouvait pas faire porter le cercueil à l'horloger.

Le cercueil immobilisé au-dessus du vide, Sylvain demanda, pour son frère dont il dit le nom, le jour de la naissance et de la mort, une minute de silence. Puis il voulut être de ceux qui le descendraient dans la fosse. Cet instant insupportable passa aussi. Le cercueil enfin s'immobilisa au fond.

Sylvain s'agitait autour des fleurs, des cordes et de la terre, et tout ce temps, il était attentif à ne croiser le regard de personne.

Finalement Sylvain n'eut plus rien à faire. Alors les autres, demeurés immobiles pendant que seul il s'affairait, s'animèrent, l'entraînèrent dans une ronde de saluts. Des paroles chaleureuses furent échangées, des mains fraternelles s'attardèrent sur des épaules. Dans cette communauté constituée autour du mort, chacun reconnaissait l'autre pour sien.

L'effervescence retomba, Sylvain s'isolait à nouveau.

Sébastien le nota, annonça en frappant des mains :

— Ne restons pas là, montons au moulin !

André prit la balle au bond, confirma qu'on ne se quittait jamais après avoir accompagné un frère au cimetière sans avoir partagé un peu de pain et beaucoup de vin. Il nous rejoindrait en camionnette avec tout ce qu'il fallait et, sans attendre, partit en se dandinant, trop dodu pour courir vraiment.

Entre la voiture de Solange et celle de M. Roche, on embarqua tout le monde, abbé Maupin compris. Mlle Païen refusa l'offre en s'excusant d'une courbette. Elle avait trop à faire au cimetière, à arranger les fleurs.

Sylvain ouvrit le moulin. Je préparai un café, d'autres dressèrent la table. André et sa camionnette s'annoncèrent en se dandinant de concert sur le chemin. Le boulanger m'appela pour l'aider à porter l'un des deux paniers débordant de miches moelleuses, de pâtés, de jambons, de pains aux raisins, de flans, de vins rouges, rosés et blancs.

Les gens du bourg avaient retrouvé pour quelques heures le chemin du moulin d'antan, Mlle Billon était aux anges, Sébastien aussi qui l'avait connu.

L'abbé qui avait fait asseoir Sylvain en bout de table, parlait avec lui de l'après-midi qui serait beau. Un rayon de soleil timide, fluet, filtrait déjà par la fenêtre, illuminait la forêt. Il lui racontait qu'il avait pris son poste à la paroisse de Montlaudun l'été de l'incendie du moulin, enchaîna pour dépeindre sa première visite à l'église Saint-Lazare. Mlle Païen et sa mère – qui n'était plus – plaçaient ce jour-là, selon leur habitude quotidienne, des fleurs autour de l'autel, bouquets multiples arrangés avec délicatesse pour célébrer son arrivée. Dès ce jour il avait compris qu'entre autres choses il allait assumer son sacerdoce à la lumière de la vertu et de la patience : "Ne me dites pas qu'elle ne vous a pas titillé les nerfs à tourner autour de vous tout à l'heure avec ses fleurs ?", "Vous verrez qu'elle va me faire développer une allergie !" Sylvain sourit.

M. Roche et Solange parlaient du dé de bois calciné, d'horlogerie et de châtaignier, l'archéologue parlait à Mlle Cécile de son métier. Puisqu'elle montrait un grand intérêt, il l'invita à venir lui rendre visite sur les fouilles à Bordeaux. Elle était ravie et disait en plaisantant vouloir rendre la pareille, dans son arrière-boutique : l'archéologue trouverait la plus belle collection de clous forgés de France. Elle lui disait qu'il y avait à fouiller chez elle pour longtemps, que l'arrière-grand-père était déjà du métier, que si la ville disparaissait dans les flammes, à l'endroit de sa boutique – M. Roche tressauta, la main sur le cœur –, les hommes du futur découvriraient là une montagne de métal et s'interrogeraient sur sa présence. Une météorite ? Une forge moyenâgeuse ?

J'appelai François de mon portable pour lui dire que nous étions chez lui. Il voulait saluer Sylvain et lui demanda comme une faveur de garder la clé du moulin.

En commençant toujours par Sylvain, André servait la nourriture et le vin :

— Un petit remontant ? Allez, garçon ! Buvez !

Sylvain se leva et resta debout un instant, le verre levé, à nous regarder tour à tour.

— Je bois à vous tous… à ce lieu où Pascal et moi avons appris à… à faire du vélo… et… je bois à Mathilde…

Je dis, entêtée :

— Buvons au livre qui m'a menée jusqu'à vous.

La peine et le deuil, dans le silence qui fit suite aux tintements des verres entrechoqués, recreusèrent leur lit, immanquablement. Le geste s'alourdit, les yeux des convives grands ouverts s'éteignirent.

Mlle Cécile s'ébroua la première, elle tira sa chaise jusqu'à Sylvain, sans s'embarrasser du bruit des pattes de bois rebondissant sur la pierre. Sans préambule, elle lui raconta les quelques souvenirs qui la liaient à son grand-père, la visite à la boutique de son frère, la pioche, le râteau, le sécateur. Sylvain dit qu'il ne les avait pas trouvés dans sa chambre.

Sébastien qui avait le cœur tantôt lourd, tantôt léger, buvait trop vite, il avait entrepris de vanter à Solange, fascinée par l'énergumène, les vertus des chaussures auxquelles personne n'avait jamais pensé à élever un autel.

L'archéologue et l'abbé Maupin parlaient avec animation aussi.

André veillait à ce que tout le monde ait en suffisance, me bousculait pour que je mange et gavait Sylvain de tartines de pâté.

Je sortis dehors pour lui échapper et retrouver M. Roche qui observait du seuil de la tour sans toit, son cœur effondré, les pierres noircies par la suie.

— Jusqu'à quand devez-vous garder cette minerve, Mathilde ?

— Ce soir… J'ai rendez-vous avec le physiothérapeute en fin d'après-midi, après la séance d'aujourd'hui, il me le dira.

— Avez-vous mal au dos ?

— … Oui, mais seulement par moments. Je me sens tomber vers l'arrière. C'est un peu comme quand on est au lit, on s'endort et on se rattrape dans un sursaut. Dans ce réflexe pour retrouver l'équilibre, mon dos se crispe horriblement…

— Faites attention Mathilde, ce sont des maux qu'on traîne longtemps, ne négligez rien…

— Monsieur Roche ! Vous voyez cet arbre à l'intérieur de la tour, on dirait un châtaignier ? N'est-ce pas ?

— Mais, oui.

M. Roche fit face au bâtiment principal et appela :

— Madame Solange !

À l'heure du café, c'est André qui évoqua la liste des noms de résistants trouvée au dos du livre. Il donna à Sylvain ébahi les détails des violations de l'atelier de reliure.

J'avais craint que Sylvain ne s'impatiente de ce que la conversation se concentre à nouveau sur le livre. Mais, au contraire, il éprouva une profonde satisfaction d'avoir compris, au moins en partie, pourquoi ce livre était tabou et pourquoi son grand-père leur en interdisait l'accès.

La pochette que j'avais prévue sur le contre-plat au recto resterait vide. Sylvain demanda à André de garder précieusement la liste.

— Bien, si tu le permets Sylvain, c'est Gisèle, ma femme, qui la gardera. Mais nous n'aurons pas à nous en servir. Claverie est calmé.

C'est au pied des voitures, prêts à partir, que l'archéologue demanda à Sylvain s'il rentrait avec Solange et lui à Bordeaux.

— Non merci, je vous rejoindrai demain. Mais peut-être pourriez-vous nous redescendre en ville, Sébastien, Mathilde et moi ?

Mon dos, un instant sous la menace d'une crampe, se décrispa. J'avais eu peur sans doute que l'histoire ne finisse là. De retour à Montlaudun, chez moi, Sébastien et Sylvain s'installèrent confortablement sur mon canapé. Je les quittai pour aller à ma séance de "rééducation" et les retrouvai tous les deux à la même place, endormis aux deux extrémités de mon petit sofa, les têtes penchées vers l'intérieur, se touchant presque.

Nous dînâmes tous les trois à la petite auberge derrière l'église Saint-Lazare.

Sébastien rentra finalement seul chez lui, à peine sa porte refermée et la nôtre ouverte, que les murs pulsèrent des vibrations endiablées du boogie-woogie. Sylvain vit de la lumière chez André.

— Croyez-vous que je pourrais emprunter la camionnette?

Sylvain passa cette dernière nuit seul au moulin. Avant qu'il démarre, je lui avais remis le livre du fanum.

XX

C'est Sylvain qui me réveilla le lendemain matin. J'avais reconnu le moteur de la camionnette de loin au passage du gué. Le temps qu'il remette la voiture au garage, qu'il salue André au fournil, j'étais descendue. Il avait le livre du fanum en main.

Assis dans l'atelier devant une tasse de café, il voulut que nous feuilletions le livre de dessins ensemble. Cette nuit, il s'était finalement approprié le livre, c'est lui qui tournait les pages, d'avant en arrière, allant directement à la fin, revenant au début.

— Mathilde, regardez les premiers croquis… et ces aquarelles… elles sont rigoureuses. Cet endroit existe, à partir de la dixième page, c'est de l'extrapolation… mais les dix dernières et les dix premières pages dépeignent un site réel… et c'est de la main de mon grand-père, je reconnais sa manière… Quel aquarelliste incroyable n'est-ce pas ? Maman avait son talent. Quand je pense que j'avais peur d'être déçu… Regardez celle-ci… !

— Solange a dit que la forêt est vraisemblable elle aussi, que c'est une forêt typique de la région.

— Mon grand-père n'a jamais beaucoup voyagé, en tout cas, jamais assez longtemps dans le même lieu pour produire cette série de dessins… Il est revenu vivre ici avec ma mère et ma grand-mère pendant la guerre. Pascal avait acheté des outils… Ces dessins, mon grand-père les a sûrement faits alors qu'il était au maquis… Il passait ses journées là-haut… Le fanum est là-haut Mathilde, au sommet de la forêt, c'est lui que Pascal cherchait et qu'il a trouvé…

— Il voulait que vous apportiez des bottes… Il voulait vous emmener là-haut et partager le livre avec vous.

— Nous allons trouver le fanum ensemble, Mathilde.

C'est en petit avion d'aéroclub que Sylvain revint le samedi pour survoler le sommet de la forêt de La Montagne.

Il partirait au début de novembre rejoindre le mari de Solange à Alexandrie, il voulait avoir, avant cette date, la certitude de l'existence du site et peut-être voir déjà sa protection assurée. Toute la forêt au sommet était propriété communale, cela semblait à Sylvain de bon augure. Il n'y aurait pas d'accords à demander à différents propriétaires. On gagnerait du temps. L'accord du maire et du conseil municipal suffirait et on pensait pouvoir être assurés du concours de M. Claverie…

Je le rejoignis à Lalande et de là on s'envola au-dessus de la zone à inspecter. Il me mit un appareil photo en main, m'indiqua une petite trappe latérale par laquelle je devais opérer pour éviter les reflets du plexiglas.

Par cercles concentriques, nous survolions un cône qui avait pour base le moulin.

Les feuilles tombaient, la forêt se dénudait, juste assez pensait Sylvain pour laisser apparaître les lignes de fondation d'une ancienne construction, surtout si Pascal avait commencé à débroussailler.

Il ne nous fallut pas un quart d'heure pour repérer le fanum que l'on pointa de l'index tous les deux en silence.

Pascal avait bien commencé à élaguer autour des fondations. Dans la masse des arbres, on voyait se détacher un grand rectangle de végétation clairsemée et en son centre les limites du fanum et de ses deux carrés imbriqués.

Sylvain descendit au-dessus de la zone en décrivant des cercles serrés. J'ôtai ma minerve pour prendre des photos et ne la remis plus. J'appuyais sur le déclencheur dès que la mise au point automatique me le permettait. On discernait aux pieds d'un arbre effeuillé les masses blanches éparses de grosses pierres blanches. C'est la fin de la pellicule qui m'arrêta.

C'est à pied que nous reviendrions.

Dès le dimanche, à neuf heures, nous nous garions devant le moulin. François, seul réveillé de la maisonnée, bol de café noir à la main, vint nous accueillir. Il nous vit équipés pour la randonnée.

— Vous partez en exploration ? On m'a dit que c'était vous hier en avion ?

— Oui, répondit Sylvain, mon frère avait retrouvé le site que mon grand-père avait découvert pendant la guerre. On va aller vérifier tout ça sur place… Tu es sûr que tu ne veux pas que je te rende la clé ?

— Oui. J'en suis sûr.

— … Je peux passer par la chambre de mon frère pour prendre ses affaires ?

— Je t'en prie.

En attendant que Sylvain réapparaisse de derrière le bâtiment, François vint s'appuyer comme moi contre le pare-chocs de la voiture. Il me touchait presque et nous ne disions rien. Sylvain revint en portant la boîte qui était sous le lit de son frère. Il n'en sortit que la boussole et enferma le reste de la boîte dans le coffre de la voiture.

Sylvain avait pris la boussole et moi le livre du fanum que j'avais bien calé sur mon dos. Nous suivions les traces de Pascal en silence. Il bruinait. La saison avançait. Les parfums de la forêt se faisaient chaque jour moins verts, plus musqués. Sylvain marchait devant moi sur le chemin qu'il avait emprunté la veille de la mise en terre de son frère.

À la fourche, nous prîmes à droite. La sente s'enroulait vers le sommet, la pente était de plus en plus dure aux mollets. Sylvain gardait maintenant toujours la boussole de son frère en main. Le souci était de retrouver le sentier que Pascal avait lui-même tracé jusqu'au fanum, pas la situation du site elle-même dont Sylvain avait fait le repérage depuis l'avion. Si nous ne trouvions pas le chemin aujourd'hui, il faudrait revenir avec une débroussailleuse.

Pour l'heure, nous montions toujours. À notre droite, se dessina tout à coup un couloir dans la végétation. On le suivit pendant dix minutes environ. Un mur d'épines nous arrêta.

Sylvain :

— Nous trouverons d'autres faux chemins. Demi-tour.

Je marchais devant maintenant, au bout d'un instant, un éclat de rire de Sylvain me surprit.

— À quoi pensais-tu ?

— Je pensais à mon frère, tu verras, avant de tomber sur le vrai chemin, il va nous faire encore la surprise de quelques fausses pistes. Asseyons-nous un moment, faisons une pause, tu as faim ?

Sylvain, au pied d'un chêne :

— Pourquoi a-t-il eu cet instinct, alors que tout brûlait, que mon grand-père agonisait… non pas de prendre le livre de ses mains mais de nous le cacher à ma mère et à moi ?

— J'y ai pensé quand tu m'as dit que ta mère avait caché à votre père votre naissance… Pascal a caché le livre, parce que votre grand-père ne voulait pas le montrer… Toi-même, au début, tu as eu du mal à ne serait-ce que le regarder… Et Pascal dans mon atelier, alors qu'il le portait serré contre sa poitrine, n'arrivait pas vraiment à le regarder non plus… Son réflexe a été de le dissimuler, c'est ce qu'il s'imaginait que son grand-père aurait souhaité. Le temps a passé, ce livre n'était plus au grand-père, mais votre bien à vous trois. Il n'aura pas su comment revenir sur son geste, comment le justifier et il se sera trouvé piégé. Peut-être comme ta mère l'avait été…

Nous reprîmes notre route. Trois faux chemins nous donnèrent de faux espoirs. Finalement nous comprîmes, après avoir suivi quelque temps le quatrième que nous étions sur la bonne voie cette fois. Ce chemin-là était non seulement orienté vers le sommet – les précédents l'étant également ce ne pouvait être le seul critère – mais aussi plus long que les autres, plus sinueux, plus patient, plus étroit, comme tracé à regret.

Lorsqu'apparurent les premières pierres, Sylvain se précipita. Il s'agenouillait, se relevait pour aller voir plus loin. En contraste, je me sentais d'un calme olympien. Je tournais autour du site à la limite de cette clairière encore floue, retrouvais les points de vue du livre que je portais sur mon dos. Je m'arrêtais aux premières et aux dernières pages.

Maintenant que j'y étais, je pouvais poser ma dernière question.

— Sylvain… Tu sais qu'il y a plusieurs écoles de reliure, plusieurs manières de monter des couvertures. Votre livre est monté à l'allemande. Est-ce que tu as une idée de qui aurait pu réaliser la reliure de ce livre pour ton grand-père ?

— Non, je ne lui connaissais pas d'amis allemands… Mais pendant la guerre, il a connu un jeune

Allemand, enrôlé dans le même réseau de Résistance… Ma mère et lui l'évoquaient parfois… Après la guerre ils se sont perdus de vue. Le type a dû repartir en Allemagne. Ma mère était gamine mais elle se rappelait de son séjour très clairement parce qu'il la faisait rire en récitant *Cyrano*, il faisait du théâtre. Peut-être faisait-il aussi de la reliure…

— Oui, il en faisait.

Je m'éloignais.

Je montai vers le sommet, avec l'idée d'essayer d'avoir, si la végétation me le permettait, un point de vue surplombant le site. Sur ce passage pentu, tapissé de feuilles en décomposition, pour chaque pas en avant, je reculais de deux.

Toutes, toutes mes décisions, les premières comme celles qui les avaient contredites, mon grand-père en avait été la source. En assumant de devenir relieuse, je croyais m'affranchir de lui, arrêter d'y penser.

Je riais à travers mes larmes. Mon grand-père me rattrapait au pays de Cyrano. Ou plutôt c'est moi qui l'avais rejoint. J'avais cru choisir ce lieu de vie en mémoire du troubadour qu'était mon aïeul, pas du relieur et c'est celui-là qui m'y attendait.

À une centaine de mètres du site, sur ma droite, je découvris une grotte. Son entrée était comme une bouche dont la lèvre inférieure, saison après saison plus boudeuse, se refermait, boursouflée d'éboulis, de branches et de feuilles mortes. Celle où le grand-père Lucas se cachait ?

J'entrai et malgré mes précautions, glissai sur cette rondeur mouillée. La pente était douce. Au fond, habituée à la pénombre, je distinguai bientôt appuyés contre la paroi, la pioche, le sécateur et le râteau.

Je me hissai au bord, appelai Sylvain, criant son nom pour le guider jusqu'à moi. Quand il apparut, il ouvrit des yeux ronds sur ma tête émergeant de la terre, sur mes mains agrippées au bord de cette bouche où il me rejoignit avant de couler à son tour en m'entraînant avec lui. Ma cape, le sac et le livre avaient tout ensemble glissé de mon dos vers le fond dans un froufrou de feuilles qui bruissait aux oreilles comme l'eau du gué. Couchés à mi-pente, Sylvain s'amusait à étaler en éventail mes cheveux défaits, à s'étonner de leur couleur qui se mêlait à celle des feuilles.

Le faire, la mémoire grisée de parfums distillés par un autre à son image, le faire avec l'amant prodige, celui qu'on croyait avoir manqué… J'étais et je n'étais pas ébahie de ma liberté nouvelle. Seules les chauves-souris s'en fâchèrent. Il nous fallut longtemps pour remonter.

Le week-end suivant nous revînmes non seulement avec des lampes, mais avec François, Solange et Alain, l'archéologue en chef des fouilles de Bordeaux.

Sylvain voulait explorer la grotte où nous étions tombés, où nous avions découvert les outils de Pascal. Bien qu'il y en ait quelques autres aux alentours, le fait que cette grotte-là ait été choisie par son frère lui faisait penser qu'elle avait aussi abrité son grand-père pendant la guerre.

Nous avions également tous en tête les statues et les autres vestiges représentés si précisément dans le livre du fanum. Ils restaient à découvrir. Ils seraient cachés dans cette grotte ou dans une autre.

Notre grotte était profonde d'une vingtaine de mètres, un passage étroit obligeait à se plier en deux, mais la dernière salle, de cinq mètres de long, était très haute. Les chauves-souris dormaient. C'est dans cette dernière salle qu'était couchée dans une longue auge en bois – que Sylvain reconnut pour en avoir vu de semblables au moulin – posée sur de hautes pierres taillées pour la protéger de l'humidité, une statue de soixante-dix centimètres de long environ, celle de "mon David" du livre du fanum, chapeauté et nu.

Nous le portâmes jusqu'au site dans la plus grande excitation. J'ouvris le livre en son milieu pour en faire découvrir l'exacte reproduction à Alain.

Sylvain confirma qu'il était de bronze. Il redressa celui qu'il nomma "Mercure". Mercure au chapeau ailé à larges bords, le chapeau des voyageurs, inventeur de tous les arts, qui aide ceux qui cherchent la Fortune. Il était donc assis sur un tronc coupé, recouvert d'une végétation renaissante, la jambe droite ouverte, repliée pour prendre appui sur la souche.

Sylvain :
— … Magnifique représentation de Mercure, le frère jumeau du dieu gaulois Lug.

On retrouverait sur le site, au fil des recherches, d'autres figures, des petits bronzes, tous représentant des animaux associés à Mercure : l'aigle, le bouc, la tortue, le coq et le bélier.

L'œil expert des archéologues reprenait à la terre, là où Solange et moi ne décelions rien, des tuiles, des bouts de métaux, des perles, que je prenais pour du bois ou des graines.

Je leur montrai la page du livre où étaient représentés ce que nos archéologues décrivirent comme les vestiges d'armes votives. Sur la page d'à côté était représenté un collier de perles.

Je leur désignai aussi les pages où figuraient ces losanges colorés d'ocre et de bleu et qu'ils identifièrent comme étant des fibules : des broches qui servaient à relier les deux parties d'un vêtement. Nous retournâmes, pressés, à la grotte.

Nous trouvâmes, en effet, trois fibules dans une niche naturelle, protégée au creux d'une petite auge en bois. Nous trouvâmes les petites lances, le collier de perles et d'autres fibules encore qui n'étaient pas représentées dans le livre du fanum. Sylvain décida que ces dernières étaient la contribution de Pascal.

Nous reprîmes le chemin du site, tous les cinq, puis tous les quatre car derrière nous dans la grotte, Sylvain s'était figé au milieu de la grande salle. L'auge de bois et son trésor étaient posés, telle une offrande, sur ses avant-bras.

Je l'entendais murmurer aux absents.

Croire ! Croire que tourner en rond autour du petit Mercure chapeauté d'ailes et nu, que se prosterner devant tous les putti ailés de l'église Saint-Lazare déterrerait nos solitudes et leurs racines avec.

Nos trois compagnons continuèrent vers le site du fanum, moi, je m'assis à l'embouchure de la grotte où je l'attendis.

XXI

Un mois plus tard, à son départ pour l'Égypte, Sylvain avait obtenu la programmation de la fouille pour l'année suivante. Il avait fait protéger le périmètre du fanum, mis à l'abri la statue de Mercure et les autres vestiges.

Mercure avait séduit, étonné par sa qualité. À lui seul, du fait de sa rareté, il avait accéléré le processus de prise en charge du site. En plus des fibules, du collier et des lances dégagés par son grand-père et son frère, Sylvain et quelques collègues avaient retrouvé, à l'occasion d'une fouille de plusieurs jours, d'autres perles et des carapaces de tortues.

Au printemps, une opération de remise en valeur serait engagée, financée par des fonds régionaux et nationaux. Pour plaire aux gens de la ruelle, M. Claverie se démenait, bousculait ciel et terre pour que ce projet de protection et d'aménagement du site du fanum voie le jour. La commune se faisait un devoir d'assurer au plus vite, du moulin jusqu'au site, le reprofilage du sentier de Pascal, la mise en place de marches en grès aux endroits les plus pentus, et la création de renvois d'eau.

Les gens de ma ruelle, même M. Roche qui n'aimait pas d'ordinaire sortir de sa routine horlogère, André, Sébastien, Mlle Cécile et l'abbé Maupin étaient les parrains de l'association née du site en mémoire de Pascal.

Depuis que je m'étais cassé le cou, le fils unique de la librairie-papeterie me gratifiait d'un mot nouveau chaque lundi.

Les deux sœurs, résignées à l'idée de me voir rester, avaient cessé de me tourmenter.

Ce fut difficile de dire adieu à Sylvain.

La foire des artisans m'avait fait rencontrer des élus et des clients. J'avais du travail.

Tous les samedis, je montais au moulin. François et sa bande amicale étaient là. Sébastien m'accompagnait régulièrement.

Avant Noël, je retournai à Paris pour quelques jours. François m'y emmena. Cette ville, dans laquelle j'avais pourtant vécu, m'apparut nouvelle.

Puis je poussai deux cents kilomètres au sud pour, après plus de deux ans, revoir "la" maison, celle de mes parents maintenant, celle de mon grand-père hier. Celle qui serait à moi un jour.

Je passai du temps au pied du châtaignier miraculé sous lequel mon grand-père était bel et bien mort.

CYRANO
Mais je m'en vais, pardon, je ne peux plus faire attendre :
Vous voyez, le rayon de lune vient me prendre !
Je ne veux pas que vous pleuriez moins ce charmant

Ce bon, ce beau Christian ; mais je veux seulement
Que lorsque le grand froid aura pris mes vertèbres,
Vous donniez un sens double à ces voiles funèbres,
Et que son deuil sur vous devienne un peu mon deuil.
Ne me soutenez pas ! Personne !
Rien que l'arbre !

ÉPILOGUE

Un dimanche soir, tard, revenue du nord de la Loire à Montlaudun, bagage posé sur le seuil de mon atelier désert, j'eus bien un petit haut-le-cœur encore.

Une nouvelle édition de *Cyrano* dûment posées sur la table de nuit, je me glissai grelottante dans le lit froid, évoquant tour à tour André qui m'apporterait mes chouquettes le lendemain à dix heures, la lecture des nouvelles affiches que Sébastien aurait placardées sur sa vitrine, M. Roche qui n'aurait rien changé, Mlle Billon qui peut-être accepterait l'évidence et porterait des lunettes, le livre du fanum qui, confié à l'association, était à l'abri à la bibliothèque… J'évoquai Solange, ce voyage en Égypte que je n'avais pas fait, faute de moyens et sans doute de crainte de revoir Sylvain… J'évoquai François et le moulin, j'invoquai tout mon monde enfin !

Je m'arrangeai de toutes les choses à faire, le lendemain et au-delà, du travail à reprendre en main… Monter au site du fanum, passer au moulin, André… Enfin je m'endormis.

Le lendemain matin, je me levai très tôt, ouvris mes volets sur un ciel noir et encore étoilé, un air immobile, sec et glacé.

Je fis ma toilette et descendis à l'atelier.

Au fournil, André s'affairait.

Mon café prêt, tartine en main, j'allumai mon ordinateur. Prise dans son faisceau de lumière bleue, j'attendais qu'il affiche ses messages. Il n'en eut pas le temps.

Quelqu'un frappait à ma porte, posément et légèrement…

Ce n'était pas André, la porte de la boulangerie n'avait pas carillonné…

Je me levai pour ouvrir, mon cœur battait un peu plus vite que de raison.

On ne frappe pas à la porte d'un relieur à cette heure et de cette façon.

BABEL

Extrait du catalogue

Ouvrage réalisé
par l'Atelier graphique Actes Sud.
Achevé d'imprimer
en juin 2016
par Normandie Roto Impression s.a.s.
61250 Lonrai
sur papier fabriqué à partir de bois provenant
de forêts gérées durablement
pour le compte
des éditions Actes Sud
Le Méjan
Place Nina-Berberova
13200 Arles.

Dépôt légal
1re édition : juin 2013
N° d'impression : 1602646
(Imprimé en France)